Besser essen

Chinesische Küche

Besser essen

Chinesische Küche

Über 100 Spezialitäten

Genehmigte Lizenzausgabe 1994
Nikol Verlagsvertretungen GmbH, Hamburg
ISBN 3-930656-01-9

INHALT

SUPPEN

❖

Bohnenquarkhaut und Meeresmuscheln in Suppe

90 g getrocknete Bohnenquarkhaut · 185 g Meeresmuscheln aus der Dose, abgetropft · 2 1/2 EL Schmalz oder Öl zum Braten · 2 TL feingehackter frischer Ingwer · 5 Tassen Hühnerbrühe · 2 EL ausgelassenes Hühnerfett (nach Belieben). Gewürze: 1 1/4 TL Salz · 1/2 TL Glutamat (wahlweise) 1/4 TL gemahlener schwarzer Pfeffer · 2 TL Reiswein oder trockener Sherry · 1 1/2 EL Maismehl (Maisstärke)

Die Bohnenquarkhaut abspülen und in eine Schüssel mit Wasser legen.
1 TL Natron zugeben und 1 1/2 Stunden einweichen, dann abtropfen lassen und mit kaltem Wasser abspülen. In kleine Quadrate schneiden und in eine Kasserolle geben. Mit kochendem Wasser oder Hühnerbrühe bedecken und in etwa 20 Minuten garen.
Das Schmalz oder Öl in einem Wok erhitzen und die Muscheln darin 30 Sekunden pfannenrühren. Auf eine Seite des Topfes schieben, Frühlingszwiebeln und Ingwer hineingeben und kurz pfannenrühren, dann die Gewürze und die Bohnenquarkstückchen zugeben und zum Kochen bringen. 2 - 3 Minuten köcheln, dann das Hühnerfett, falls verwendet, unterrühren und die Hitze durchziehen lassen. In einer Suppenschüssel servieren. Anstelle der Muscheln kann grobgehacktes Schweine- oder Rindfleisch, gewürfelter Tintenfisch oder Seegurke verwendet werden.

Schwalbennester in klarer Brühe

*30 g getrocknete Vogelnester · 6 Tassen (1 1/2 Liter) Hühner-
brühe oder angereicherte Brühe · 2 TL Reiswein oder
trockener Sherry · 2 TL Salz · 1 TL Glutamat (wahlweise)
1/4 TL weißer Pfeffer*

Die Vogelnester zugedeckt in kochendem Wasser einweichen, bis das
Wasser abkühlt. Abtropfen lassen,
wieder mit kochendem Wasser
bedecken und stehen lassen, bis auch
dieses Wasser abkühlt, dann 1 EL
klares Pflanzenöl zugeben. Sollten
sich noch Reste von Federn in den
Nestern befinden, werden sie am Öl
haften bleiben. Abtropfen lassen und
mit kaltem Wasser abspülen.
Die abgetropften Vogelnester in eine
Kasserolle geben und die restlichen
Zutaten zufügen. Auf einer Bambusmatte in einen Dämpfer stellen und
fest zugedeckt über kochendem
Wasser 30 Minuten dämpfen.
Servieren.

Süße Suppe mit Walnüssen und roten Datteln

*210 g frische Walnüsse, geschält · 45 g rote chinesische
getrocknete Datteln · 1/2 Tasse Klebreis (Rundkornreis),
2 Stunden eingeweicht · 1 Tasse Zucker*

Die Walnüsse in kochendem Wasser
einweichen, bis sich die Haut löst.
Abtropfen lassen und leicht abkühlen
lassen, dann die Haut abziehen und
die Walnüsse grob hacken.
Die roten Datteln mit Wasser bedeckt
dämpfen, bis sie zart sind. Abtropfen
lassen und zu einer glatten Paste
zermusen, Haut und Steine wegwerfen. Den Reis abtropfen lassen und
zusammen mit den Walnüssen in
einem Rührgerät mit genügend
Wasser zu einer glatten Creme
verrühren.
Etwa 3 1/2 Tassen Wasser zum
Kochen bringen und den Zucker
zugeben. Umrühren, bis er sich
auflöst, dann die Walnuß-Reiscreme
zugeben und zum Kochen bringen.
Zu einem Simmern reduzieren und die
gemusten roten Datteln zugeben.
Gründlich verrühren und kochen, bis
die Suppe süß und dick ist. Heiß
servieren.

Süße Jamswurzelsuppe

625 g geschälte frische Jamswurzeln (oder Taro oder Süß-
kartoffeln) · 5 Tassen (1 1/4 Liter) Wasser
2/3 Tasse Zucker · 1/3 Tasse weiches Schweineschmalz
2 1/2 EL Maisstärke · 1/4 Tasse kaltes Wasser

Die Jamswurzeln in Würfel schneiden und mit dem Wasser und dem Zucker in einen Topf geben.
Zum Kochen bringen, simmern lassen, bis sie weich geworden sind, dann in eine Rührschüssel umfüllen und glatt und cremig rühren. Wieder in den Topf geben und Schweineschmalz zugeben. 2 - 3 Minuten umrühren, dann mit der Maisstärke und kaltem Wasser andicken und heiß servieren.
Wer noch mehr Geschmack möchte, kann der Suppe noch in Würfel geschnittene kandierte Warzenmelone oder Kürbis zugeben.

Schinken-Melone-Schnitten in Suppe

625 g Wintermelone · 45 g chinesischer oder
geräucherter Schinken · 1/2 Tasse Hühnerbrühe.
Gewürze: 3/4 TL Salz · 1/2 TL Glutamat (wahlweise)
1/4 TL gemahlener schwarzer Pfeffer · 1 EL Öl · 1 TL Reis-
wein oder trockener Sherry.
Suppe: 2 1/2 Tassen Hühnerbrühe · 1/3 TL Salz
2 TL Reiswein oder trockener Sherry · 1/4 TL Sesamöl
(wahlweise) · 4 Scheiben frischer Ingwer,
in feine Streifen geschnitten

Die Melone schälen, entkernen und in 24 Stücke schneiden. Die runde Seite jedes Stückes einschlitzen. Den Schinken ebenfalls in 24 Stücke schneiden. Die Melone in kochendem Wasser 1 1/2 Minuten blanchieren, dann abtropfen lassen und ein Stück Schinken in jeden Schlitz schieben. Die Melonenstücke in eine große Schüssel geben und die Hühnerbrühe und Gewürzzutaten zufügen. Die Schüssel auf ein Gestell in einen Dämpftopf setzen und über sprudelnd kochendem Wasser etwa 12 Minuten dämpfen, bis die Melone gar ist. In eine Suppenschüssel geben. Die Suppenzutaten zum Kochen bringen und kurz köcheln, dann über die vorbereiteten Melonenschnitten gießen und servieren.

Chinesische Gemüsesuppe
mit Blätterteighaube

4 Scheiben tiefgefrorener Blätterteig (à 50 g) · 2 Frühlings-
zwiebeln · 1 Beutel Chinesische Gemüsesuppe (Fertigpro-
dukt) · 550 ml Wasser · 50 g Shrimps · 1 - 2 EL trockener
Sherry · Sojasauce (wahlweise) · 1 Eigelb · 1 EL Wasser

Blätterteig-Scheiben auftauen lassen. Scheiben aufeinanderlegen und auf bemehlter Arbeitsfläche zu einem Rechteck (45 x 15 cm) ausrollen und kaltstellen. Frühlingszwiebeln in Streifen schneiden. Fertigprodukt Feinschmecker-Gemüsesuppe nach Anweisung zubereiten. Frühlingszwiebeln und Shrimps dazugeben. Gemüsesuppe mit Sherry und Sojasauce (wahlweise) abschmecken und erkalten lassen. Gemüsesuppe in Suppentassen füllen. Aus dem Blätterteig Kreise in Größe der Suppenuntertasse ausradeln. Suppentassen damit abdecken. Aus den Teigresten verschiedene Formen ausstechen und auf die Teighauben setzen. Eigelb mit Wasser verrühren und den Teig damit bestreichen. Suppentassen in den vorgeheizten Backofen stellen (E-Herd: 225 Grad C, G-Herd: Stufe 4) und etwa 5 - 10 Minuten backen, bis der Blätterteig goldbraun und knusprig ist.

Brunnenkressesuppe

375 g frische Brunnenkresse · 4 chinesische rote Datteln
5 Tassen Hühnerbrühe · 3 Scheiben frischer Ingwer
2 TL helle Sojasauce · 2 TL Reiswein oder trockener Sherry
1 TL Zucker · 1 1/4 TL Salz

Die Stiele abzupfen und die Brunnenkresse gründlich waschen, dabei alle verfärbten oder verwelkten Blättchen entfernen.
Gut abtropfen lassen. Die Hühnerbrühe zum Kochen bringen und Datteln und Ingwer zugeben. Etwa 15 Minuten schwach kochen lassen, bis die Datteln weich und zart sind, dann die Brunnenkresse und die restlichen Zutaten zugeben und weiter 5 - 6 Minuten köcheln, bis die Brunnenkresse gar ist. In einer Suppenschüssel auftragen.

Fischsuppe mit eingelegtem Senfkraut

185 g weißes Fischfilet · 185 g eingelegte Senfwurzeln
oder -blätter · 4 1/2 Tassen Fischbrühe · 2 dünne Scheiben
Ingwer, in Steifen geschnitten.
Gewürze A: 2 EL Zwiebel-Ingwer-Aufguß · 3/4 TL Salz
1 Eiweiß, geschlagen · 1 EL Maismehl (Maisstärke).
Gewürze B: 1 TL Salz · 1 TL Glutamat (wahlweise)
2 TL Reiswein oder trockener Sherry · 1/2 TL Sesamöl

Das Fischfilet in sehr dünne Scheiben schneiden und zusammen mit dem Zwiebel-Ingwer-Aufguß in eine Schüssel geben. 6 - 7 Minuten ziehen lassen, dann die restlichen Gewürzzutaten A zugeben, gut miteinander vermischen und weiter 6 - 7 Minuten ziehen lassen.
Das Senfkraut abspülen und fein schneiden. Die Fischbrühe zum Kochen bringen und Ingwer, Senfkraut und die Gewürzzutaten B zugeben. 2 - 3 Minuten schwach kochen lassen. In einer anderen Kasserolle Wasser erhitzen, bis es schwach siedet.
Die Fischscheiben hineingeben und ziehen lassen, bis sie fest sind, dann abtropfen lassen und in die Suppe geben. Kurz köcheln, dann in eine Suppenschüssel gießen und sofort servieren.

Entensuppe
im Jünnan-Dämpftopf

1/2 Ente von 2 kg • 60 g chinesischer oder geräucherter Schinken • 8 Scheiben frischer Ingwer • 2 EL Reiswein oder trockener Sherry • 2 TL Salz

Besondere Ausrüstung: Ein Jünnan-Dämpftopf (siehe Erläuterung). Die Ente durch die Knochen hindurch in mundgerechte Stücke schneiden. 1 Minute in kochendem Wasser blanchieren, abtropfen lassen und in kaltem Wasser abspülen. Gut abtropfen lassen. In einen Jünnan-Dämpftopf geben. Den Schinken in große Würfel schneiden und zusammen mit dem Wein und Salz in den Topf geben.

Die Entenstücke mit kochendem Wasser bedecken und den Topf in eine große Kasserolle mit fest verschließbarem Deckel setzen. Bis zur halben Höhe des Dämpftopfes die Kasserolle mit Wasser füllen, dann die Kasserolle zudecken und 2 - 3 Stunden schwach kochen lassen. Gelegentlich kochendes Wasser zufügen, wenn der Pegel sinkt. Die Entensuppe in der Kasserolle auftragen.

Tip: Ein Jünnan-Dämpftopf ist ein außen unglasierter Keramiktopf mit einem in der Mitte aufragenden Abzug. Diese Anordnung erlaubt einen kleinen, aber beständigen Zufluß von Dampf in den Topf, so daß die Zutaten sanft garen und das Gericht mit Hilfe der Kondensation Flüssigkeit erhält. Diese Töpfe sind in den meisten führenden chinesischen Spezialitätenläden erhältlich. Kein anderer Kochtopf kann die gleichen Ergebnisse bringen.

Rübenstreifen und Goldkarpfen in Suppe

250 g geschälte Rüben (oder Rettiche) · 1 Goldkarpfen von
315 g oder die Hälfte eines größeren Fisches · 1 Frühlings-
zwiebel, geputzt und in Scheiben geschnitten · 3 dünne
Scheiben frischer Ingwer · 1 1/2 EL Schmalz
5 Tassen Wasser · 1 1/4 TL Salz · 1/2 TL Glutamat
(wahlweise) · 1 EL ausgelassenes Hühnerfett

Die Rüben in streichholzgroße Streifen schneiden oder grob hacken. Den Fisch abschuppen, säubern und gründlich abspülen. Frühlingszwiebel und Ingwer im Schmalz 30 Sekunden pfannenrühren. Die Rübenstreifen zugeben und weitere 30 Sekunden pfannenrühren; etwas Wasser darüberträufeln, falls die Rübenstreifen ansetzen. Das restliche Wasser zugeben und zum Kochen bringen.

Den Fisch hineinlegen und mit Salz bestreuen. Etwa 20 Minuten bei schwacher Hitze dünsten, bis der Fisch gar ist, dann das Glutamat (falls verwendet) unterrühren und das Hühnerfett hineinrühren. In eine Suppenschüssel geben.

Der Fisch kann aus der Brühe genommen und getrennt auf einer Unterlage aus fein zerkleinerten Frühlingszwiebeln, Ingwer, Chilischoten und gehacktem Knoblauch mit Tunken aus heller Sojasauce und chinesischem roten Essig serviert werden.

Suppe mit süßem Mais und Huhn

1 Dose süße Maiskörner von 500 g · 90 g grobgehackte
Hühnerbrust · 4 Tassen (1 Liter) Hühnerbrühe
1/4 Tasse Maisstärke.
Gewürze: 1 1/2 TL Salz · 3/4 TL Glutamat (wahlweise)
1 EL helle Sojasauce

Die Maiskörner abtropfen lassen und leicht in einem Mörser oder der Küchenmaschine zerstoßen.
In eine Kasserolle geben und das Hühnerfleisch, die Brühe und Gewürzzutaten zugeben. Aufkochen und

3 Minuten köcheln, dann die angerührte Maisstärke zugeben und weiter leicht köcheln lassen, bis die Suppe dick wird und sich klärt. In eine Suppenschüssel gießen und auftragen.

Feurige Nudelsuppe

150 g Hähnchenbrustfilet · 2 EL Sherry · 1 rote Paprika-
schote · 1 Möhre · 1 EL Sesamöl · 3/4 Liter Wasser · 1 Chili-
schote · 1 Suppenwürfel · 3 Salatblätter · 100 g Fadennudeln
1 Stück Ingwerknolle · 1 EL Sojasauce · 1 EL Soßenbinder für
dunkle Soßen

Hähnchenbrustfilet in Streifen schneiden und mit Sherry marinieren. Paprikaschote waschen, Kerne und weiße Innenhäute entfernen und in Streifen schneiden. Möhre schälen und in Stifte schneiden. Sesamöl heiß werden lassen, Fleisch und Gemüse darin anbraten. Wasser und Chilischote zugeben und zum Kochen bringen. Klare Fertigsuppe darin auflösen. Salatblätter waschen, in Streifen schneiden, mit Fadennudeln zur Suppe geben und 3 Minuten kochen. Ingwer reiben und mit Sojasauce der Suppe zufügen. Mit Soßenbinder binden.

Suppe mit Brunnenkresse und Leber

185 g frische Brunnenkresse · 125 g Lamm- oder Schweine-
leber · 4 Tassen (1 Liter) Hühnerbrühe.
Gewürze: 1 Frühlingszwiebel, geputzt und in Steifen geschnit-
ten · 2 Scheiben frischer Ingwer, in Streifen geschnitten
3/4 TL Salz · 1/4 TL Glutamat (wahlweise) · 1 EL helle Soja-
sauce · 2 TL Reiswein oder trockener Sherry

Die Brunnenkresse gründlich waschen und die Stiele entfernen. Die Leber in sehr dünne Scheiben schneiden und 20 Sekunden in kochendem Wasser blanchieren, abtropfen und dann 5 Minuten in kaltem Wasser einweichen. Die Hühnerbrühe aufkochen und die Gewürzzutaten zugeben. 2 Minuten köcheln, dann die Leberscheiben zugeben und weitere 2 Minuten köcheln. Die Brunnenkresse unterrühren und noch solange kochen, bis sie gerade eben weich ist. In eine Suppenschüssel gießen.

Junge Tauben und Schinken in Suppe gedämpft

3 junge Tauben, gerupft und gesäubert (etwa 625 g)
60 g chinesischer oder geräucherter Schinken, in Scheiben
geschnitten · 6 Tassen (1 1/2 Liter) heiße Hühnerbrühe
1 EL Reiswein oder trockener Sherry · 3/4 TL Salz
1/4 TL gemahlener schwarzer Pfeffer · 1 Frühlingszwiebel,
geputzt und in Scheiben geschnitten · 3 Scheiben frischer
Ingwer · 1/2 TL Glutamat (wahlweise)

Die Tauben halbieren, in einen Topf geben, eben mit kochendem Wasser bedecken und 20 Minuten simmern lassen. Abtropfen lassen und in kaltem Wasser abspülen. Die Tauben in einer Kasserolle mit dem in Scheiben geschnittenen Schinken darauf anrichten. Heiße Hühnerbrühe, Wein, Salz und Pfeffer, die Frühlingszwiebel und den Ingwer zugeben. Zudecken und auf einer Bambusmatte in einen Dämpfer stellen; über schwach kochendem Wasser 2 1/2 bis 3 Stunden dämpfen, bis die Tauben völlig zart sind.

Vom Feuer nehmen, abschmecken und gegebenenfalls Glutamat zugeben. Ingwer und Zwiebel entfernen und das Gericht in der Kasserolle servieren. Während des Garens nicht umrühren, damit die Brühe möglichst klar bleibt.

Süße Reisbällchen in roter Bohnensuppe

1 Tasse Klebereispulver · 1/4 Tasse kochendes Wasser
1 EL Zucker · 1 EL Schweineschmalz · 1 1/2 - 2 EL kaltes
Wasser · 1 Dose süße rote Bohnenpaste zu 280 g
1 Tasse Zucker (oder nach Geschmack) · 4 Tassen Wasser

Das Reispulver in eine Rührschüssel geben und das kochende Wasser, den Zucker und das Schmalz zugeben. Mit dem Stiel eines Holzlöffels gründlich verrühren, dann kaltes Wasser zugeben und zu einem geschmeidigen, ziemlich festen Teig verarbeiten. 2 Minuten kneten, dann zu einem langen Strang ausrollen und in kleine Stücke schneiden. Jedes Stück zu einem Bällchen formen. Einen großen Topf mit Wasser zum Kochen bringen und die Reisbällchen hineingeben. Etwa 3 Minuten kochen, bis sie an die Oberfläche steigen, dann mit einem Schaumlöffel herausholen und in eine Schüssel mit kaltem Wasser legen.

Die rote Bohnenpaste mit Zucker und Wasser verrühren. Aufkochen und auf niedriger Stufe schwach weiterkochen lassen. Die Reisbällchen zugeben etwa 3 Minuten sieden lassen, dann heiß servieren.

Süße schwarze Sesamsuppe

155 g schwarze Sesamkörner · 7 Tassen (1 3/4 Liter)
Wasser · 1 Tasse weißer Zucker · 1/3 Tasse Maisstärke
1/3 Tasse kaltes Wasser · 1 TL Salz

Die Sesamkörner in einer trockenen Pfanne rösten, bis sie zu platzen beginnen, dann in einem Mörser oder einer Kaffee- oder Gewürzmühle zu einem ziemlich feinen Pulver mahlen. Die Hälfte des Wassers in einer Kasserolle zum Kochen bringen und die Sesamkörner zugeben. Das restliche Wasser in einem anderen Topf zum Kochen bringen und den Zucker zufügen. Beide Töpfe 10 Minuten unter Rühren schwach kochen.

Vom Feuer nehmen. Die Sesampaste in einen Mixer geben und auf hoher Stufe glattrühren; etwas von dem Zuckersirup zugeben, falls die Masse zu dick wird.
Aus der Mixerschüssel nehmen und mit dem restlichen Zuckersirup verrühren, dann das Salz zufügen. Mit Maisstärke und kaltem Wasser anrühren, in die Suppe gießen und köcheln, bis die Suppe angedickt ist. Heiß servieren.

VORSPEISEN

❖

Huhn mit Austernsauce in Papiertaschen

250 g Hühnerbrust ohne Knochen · mehrere Blätter eßbares
Reispapier, Cellophan oder Butterbrotpapier · Sesamöl
3 Tassen Öl zum Fritieren · 1 kleiner Bund frischer Koriander,
zu Röschen zerzupfen, Stiele entfernen.
Gewürze: 1/2 TL Glutamat (wahlweise) · 1 1/4 TL Zucker
1 Messerspitze weißer Pfeffer · 1 EL Austernsauce
2 TL Sesamöl · 1/4 TL geriebener frischer Ingwer
1 EL feingehackte Frühlingszwiebel

Hühnerbrust enthäuten und quer zur Faser in dünne Scheiben schneiden, etwa 5 x 2,5 cm. Mit den Gewürzzutaten vermengen und 20 Minuten zum Marinieren beiseite stellen.

Das Papier in 12 cm große Quadrate schneiden und eine Seite mit Sesamöl bepinseln.

Ein Stück Hühnerbrust auf jedes Papierstück legen, in eine Ecke schieben. Ein Koriander-Röschen zugeben und eine zweite Hühnerbrustscheibe darüberlegen. Erst die den Hühnerschnitzeln am nächsten liegende Ecke darüberfalten, dann die beiden Seiten und schließlich die gegenüberliegende Seite und diese vorsichtig feststecken. Das Öl mäßig erhitzen und die Hühnchen-Taschen hineingeben, ein- oder zweimal wenden, bis sie an die Oberfläche kommen, (ca. 3 Minuten). Gut abtrop-

fen lassen, auf einer Servierplatte anrichten und mit frischem Koriander garnieren.
Sehr heiß servieren.

Wenn man Cellophan oder Butterbrotpapier benutzt, mit einer Schere aufschneiden, um das Herausnehmen der Stücke zu erleichtern.

Mandarinfischklöße mit Gemüse in Hühnerbrühe

500 g Mandarinfischfilet · 6 Tassen (1 1/2 Liter) Öl zum Fritieren · 1/4 Tasse Öl zum Braten oder weiches Schweineschmalz · 30 g Champignons aus der Dose, in Scheiben geschnitten · 30 g gekochter Schinken, kleingeschnitten · 155 g frische grüne Erbsensprossen oder feingehackter Spinat · 1 EL feingehackte Frühlingszwiebel · 1 TL geriebener frischer Ingwer.
Gewürze: 2 Eiweiß, geschlagen · 2 EL Zwiebel-Ingwer-Lösung · 1/2 TL Salz · 1 TL Glutamat (wahlweise) 1/4 TL weißer Pfeffer · 1 EL Maisstärke.
Sauce: 2 Tassen Hühnerbrühe · 3/4 TL Salz · 1/2 TL Glutamat (wahlweise) · 3/4 TL Reiswein oder trockener Sherry · 2 TL Maisstärke

Den Fisch in einer Küchenmaschine oder von Hand zerkleinern. Gründlich mit den Gewürzzutaten vermengen, dabei nur in eine Richtung arbeiten, bis die Mischung glatt, dick und cremig ist.
Das Fritieröl mäßig erhitzen. Die Fisch-Mischung durch die rechte Hand drücken, so daß man kleine Bällchen formt, und mit einem Löffel ins Öl geben.
Garen, bis die Bällchen an die Oberfläche kommen und sich leicht verfärben, dann herausnehmen und auf einem vorbereiteten Tuch oder Papier gut abtropfen lassen.
In einem zweiten Topf das Öl zum Braten erhitzen und die Pilze, den Schinken und das gewaschene Gemüse dünsten, dann die Zwiebel und den Ingwer zugeben.
Wenn die Zwiebel und der Ingwer weich sind, die vorher verrührten Saucenzutaten zugeben und zum Kochen bringen. Anschließend Fischbällchen zugeben und erhitzen, bevor alles in eine Servierschüssel umgefüllt wird.

Fritierte Shrimps-Taschen

375 g frische grüne Shrimps in der Schale · 6 Eiweiß
1 1/4 EL Mehl · 2 EL Maisstärke · 1 EL feingehackter
gekochter Schinken · 1 EL feingehackte Frühlingszwiebel
Maisstärke · 4 Tassen (1 Liter) Öl zum Fritieren
chinesische Pfeffer-Salz-Mischung.
Gewürze: 2 EL Zwiebel-Ingwer-Lösung · 1/2 TL Salz
1/4 TL Glutamat (wahlweise) · 1 Messerspitze weißer Pfeffer
1/2 TL Reiswein oder trockener Sherry

Die Shrimps schälen und längs halbieren, dunkle Adern entfernen und wegwerfen. Größere Shrimps nochmals halbieren. Mit den Gewürzzutaten vermengen und 10 Minuten stehen lassen.

Die Eiweiß steif schlagen und sorgfältig Mehl, Maisstärke, kleingehackten Schinken und Zwiebeln unterziehen. Das Fritieröl mäßig erhitzen. Die Shrimps abtropfen lassen, trockentupfen und leicht mit Maisstärke bestäuben, überschüssige Stärke abschütteln. Shrimps in den Weiß-weinteig tauchen und dick amit bedecken. Mehrere Stücke zur gleichen Zeit fritieren, bis sie goldbraun sind, etwa 1 1/4 Minuten. Aus dem Öl herausnehmen, 1 Minute abtropfen lassen und dann die Shrimpstaschen nochmal in das heiße Öl senken. 30 Sekunden fritieren. Abtropfen lassen und auf einer Servierplatte anrichten. Pfeffer-Salz-Mischung darüberstreuen oder auf verschiedenen Tellern mit Dips servieren. Sofort auf den Tisch bringen.

Sojabohnen-Sprossen mit Shrimps

für 2 Personen

1 EL Pflanzenöl · 1 EL Sesamöl · 2 gehackte Knoblauch-
zehen · 1 frische oder 2 getrocknete rote Chilischoten
200 g Tofu · 4 EL Sojasauce · 80 g frische Shii-Take-Pilze
oder Egerlinge · 400 g Sojabohnen-Sprossen · 80 g frische
oder tiefgekühlte Zuckerschoten · 150 g küchenfertige,
gekochte Shrimps

Den Tofu nach Anleitung vorbereiten und in ca. 1,5 x 1,5 cm große Würfel schneiden. Mit 2 EL Sojasauce beträufeln. Die Chilischote halbieren,

die Kernchen entfernen und in Streifen schneiden. Die Pilze putzen, von den Shii-Take-Pilzen die Stiele entfernen, dann in Streifen schneiden. Die Zuckerschoten waschen und trockentupfen.

Das Öl in einer großen, tiefen Pfanne erhitzen, die Pilze, Chili und Knoblauch hinzufügen und unter Rühren 1 Minute anbraten. Die Sprossen und die Zuckerschoten dazugeben, weitere 2 Minuten rühren. Die restliche Sojasauce hinzufügen, umrühren, 1 Minute köcheln lassen.

Dann alles auf eine Seite schieben, den Tofu und die Shrimps mit den Sprossen, Pilzen und Zuckerschoten bedecken, 3 Minuten köcheln lassen, dann umrühren und servieren. Dazu paßt Reis.

21

Fritierte Krabbenfleischbällchen

*315 g frisches Krabbenfleisch · 60 g Shrimpsfleisch
45 g Schweinefett · 2 Eiweiß, geschlagen · 1 EL feingehackte
Frühlingszwiebel · 1 1/2 TL geriebener frischer Ingwer
6 Tassen (1 1/2 Liter) Öl zum Fritieren · chinesische
Pfeffer-Salz-Mischung · süße Sojasauce.
Gewürze: 1/2 TL Salz · 1/2 TL Zucker · 1 TL Reiswein
oder trockener Sherry · 1 EL Maisstärke*

Das Krabbenfleisch, das Shrimpsfleisch und das Schweinefett in einer
Küchenmaschine oder von Hand
zerkleinern.
Eiweiß, Zwiebel, Ingwer und Gewürzzutaten zugeben und nur in eine
Richtung mischen, dabei 1/2 bis
1 EL Wasser zugeben, damit sich
eine cremige Paste ergibt.
Das Fritieröl mäßig erhitzen.

Die Mischung in der linken Hand zu
Bällchen formen und diese mit einem
Löffel ins Öl geben. Behutsam garen,
bis sie an die Oberfläche kommen
und sich leicht verfärben. Mit einem
Schaumlöffel herausheben und gut
abtropfen lassen.
Auf einem Salatbett anrichten und mit
Pfeffer-Salz-Mischung und süßer
Sojasauce servieren.

Fritierte gewürzte Hühnerkeulen

*12 kleine Hühnerkeulen · 2 Eier, gut geschlagen · Maisstärke
trockene Semmelbrösel (wahlweise) · 7 Tassen (1 3/4 Liter)
Öl zum Fritieren · chinesische Pfeffer-Salz-Mischung.
Gewürze: 1/2 TL Salz · 3/4 TL Fünf-Gewürze-Pulver
1 EL helle Sojasauce · 2 TL dunkle Sojasauce · 2 TL Reiswein
oder trockener Sherry · 1/2 TL Sesamöl · 1 EL feingehackte
Frühlingszwiebel · 2 TL feingehackter frischer Ingwer*

Die Hühnerkeulen mit einem scharfen
Spieß an mehreren Stellen anstechen
und auf eine Platte legen. Die vorher
verrührten Gewürzzutaten zugeben
und gründlich einreiben. 1 Stunde
zum Marinieren stehen lassen,
gelegentlich wenden.
Das Fritieröl mäßig erhitzen.

Die Keulen mit Küchenkrepp abreiben
und mit den geschlagenen Eiern
bepinseln, dann mit Maisstärke
bestäuben oder in trockenen Semmel-
bröseln wenden.
Mehrere Keulen gleichzeitig fritieren,
bis sie sich gut verfärbt haben und
gar sind, etwa 3 1/2 Minuten.

Abtropfen lassen und auf einem frischen Salatbett auf einer Servierplatte anrichten. Großzügig mit chinesischer Pfeffer-Salz-Mischung beträufeln oder getrennt als Dip servieren.

Geröstete Schweinefleisch-„Münzen"

500 g Schweinefilet · 500 g Schweinefett
125 g chinesischer oder geräucherter Schinken · 2 EL weiches
Schweineschmalz oder Öl zum Braten.
Gewürze: 1 EL Austernsauce · 1 EL Sojabohnenpaste
(oder dunkle Sojasauce) · 1 EL Reiswein oder trockener
Sherry 1 EL Zucker · 1/4 TL weißer Pfeffer · 1 TL Glutamat
(wahlweise) · 2 TL feingehackte Frühlingszwiebeln
3/4 TL geriebener frischer Ingwer

Das Schweinefleisch quer zur Faser in Scheiben schneiden und leicht mit der Seite eines Küchenbeils flachklopfen. Das Schweinefett und den Schinken in dünne Scheiben schneiden und dann in Stücke von der gleichen Größe wie das Schweinefleisch. Die drei Fleischsorten mit den Gewürzzutaten vermengen und 25 Minuten marinieren. Schweinefleisch, Schweinefett und Schinken abwechselnd auf kleine Bambusspieße schieben, die zuvor in Öl getaucht worden sind, und auf einem eingeölten Backblech arrangieren. Im vorgeheizten Ofen bei 230 Grad C etwa 25 Minuten rösten, dabei oft umdrehen. „Münzen" von den Spießen abziehen und zum Servieren auf einer vorgewärmten Platte anrichten.

Scharfe saure Gurke

3 kleine Gurken · Ein 2,5 cm langes Stück frischer Ingwer
2 frische rote Chilischoten · 1/4 Tasse Weißweinessig
1/3 Tasse Zucker

Die Gurken längs in dicke Scheiben schneiden, Samen herauskratzen, dann die Stäbe von etwa 6 cm Länge schneiden. Ingwer und Chilischoten zerkleinern, Chilisamen entfernen, damit der Geschmack etwas milder wird. Gurke, Ingwer und Chilischoten auf einer Platte verrühren. Die vorher verrührte Essig-Zucker-Mischung darübergießen und 5 Stunden stehen lassen, dabei gelegentlich wenden. Kalt servieren.

Salat Tang Wai

250 g Spinat · Glas Bohnenkeimlinge
3 Karotten · 100 g Vollreis (roh).
Sauce: 1 Bund Schnittlauch · 4 EL Sojasauce
7 EL Apfelessig · 4 EL Sonnenblumenöl · 1 - 2 TL Ahorn-
sirup · Paprikapulver · Meersalz · Pfeffer

Den Reis in der Gemüsebrühe kochen. Den Spinat waschen, abtropfen, Stiele entfernen und in mundgerechte Stücke zupfen. Die grob geraspelte Karotte mit den abgetropften Bohnenkeimlingen und dem Spinat mischen.

Den gekochten, abgekühlten Reis untermengen.
Die Zutaten für die Soße mischen, Schnittlauch in feine Röllchen schneiden, alles über das Gemüse geben, abschmecken und eventuell nachwürzen. *Abbildung rechts*

Huhn „Bon Bon"

1 Huhn von 1 1/2 kg · 1 Gurke, geschält und gerieben
5 - 6 frische Salatblätter · 1 EL geröstete weiße Sesamsamen.
Sauce: 2 1/2 EL Sesampaste · 2 EL Hühnerbrühe
1 EL Sesamöl · 2 EL helle Sojasauce · 1 EL brauner
chinesischer Essig (Tschingkiang-Essig) · 1 EL geriebener
frischer Ingwer · 2 - 3 TL feingehackter Knoblauch
1/2 TL Salz · 1/2 TL Glutamat (wahlweise) · 1 EL Zucker

Das Huhn säubern und ausnehmen, in einem Topf mit Wasser bedecken und zum Kochen bringen. Fest zudecken und bei sehr schwacher Hitze 10 Minuten kochen. Vom Feuer nehmen und weitere 30 Minuten in der heißen Brühe stehen lassen. Wieder zum Kochen bringen und wieder vom Feuer nehmen.
5 - 6 Minuten stehen lassen.
Das Huhn herausnehmen. Das Fleisch sollte jetzt weiß und feucht sein, um die Knochen herum eine

Spur rosa. Gut abtropfen lassen und die Haut mit ein wenig Sesamöl bepinseln.
Entbeinen und das Fleisch in kleine Schnitzel schneiden.
Eine Servierplatte mit dem Salat auslegen und Gurke und Hühnerfleisch darauflegen. Falls verwendet, Sesamsamen darüberstreuen.
Die Saucenzutaten verrühren, gründlich umrühren, bis alles vermengt ist. Getrennt als Dip servieren oder bei Tisch das Huhn damit übergießen.

Nieren in scharfer saurer Sauce

250 g Schweinenieren · 3 Bohnen-Blattnudeln,
eingeweicht · 3/4 TL Salz · 2 TL Sesamöl.
Sauce: 2 EL feingehackte Frühlingszwiebeln · 1 1/2 EL
feingehackter frischer Ingwer · 1/4 Tasse helle Sojasauce
1 EL Sesamöl · 1 EL weißer Essig · 2 TL Chili-Öl (je nach
Geschmack) · 1 1/2 EL chinesische braune Pfefferkörner,
zerstoßen · 1/4 TL Salz · 1/4 TL Glutamat (wahlweise)
1 TL Zucker

Die Nieren mit dem Messer halbieren und das weiße, fettige Innere und die Haut entfernen. Die Nierenhälften außen dicht nebeneinander kreuzweise einschneiden, dann in dünne Scheiben schneiden. In kochendem Wasser etwa 30 Sekunden lang blanchieren, dann herausnehmen und gründlich abtropfen lassen. Anschließend in kaltes Wasser legen.

Die Blattnudeln abtropfen lassen und in Streifen schneiden. Mit Salz und Sesamöl vermischen und auf einer Servierplatte anrichten.
Die Nierenscheiben abtropfen lassen und auf den Nudelstreifen anordnen. Die Saucenzutaten verrühren und über die Nierenscheiben gießen. Auftragen.

Beignets aus Bohnenquark, Shrimps und Huhn

4 Würfel weicher frischer Bohnenquark (oder 16 Stücke
Bohnenquark aus der Dose, abgetropft) · 750 g Shrimps-
fleisch, gehackt · 60 g Hühnerfleisch ohne Knochen, gehackt
60 g Schweinefett, gehackt · 60 g Pinienkerne oder geröstete
Erdnüsse · Maisstärke · 4 Tassen (1 Liter) Öl zum Fritieren.
Gewürze: 2 Eiweiß, geschlagen · 1 TL Salz · 1 EL Zwiebel-
Ingwer-Lösung · 1 1/2 EL Maisstärke

Den Bohnenquark mit einer Gabel musen und mit Shrimps, Hühner-

fleisch und Schweinefett vermengen. Die Gewürzzutaten zugeben, alles

gründlich verrühren. Falls verwendet, die Pinienkerne 1 Minute in kochendem Wasser blanchieren.
Abtropfen lassen, dann trocknen und fritieren, bis sie goldbraun sind.
Abtropfen lassen und feinhacken. Die Hälfte in die Bohnenquark-Mischung einrühren.
Die Mischung auf ein quadratisches eingeöltes Backblech drücken und mit den restlichen gehackten Pinienkernen garnieren, die leicht eingedrückt werden. Das Backblech auf einer Bambusmatte in einen Dämpfer stellen und über kochendem Wasser 15 - 20 Minuten dämpfen, bis die Mischung fest ist. Das Backblech aus dem Dämpfer nehmen und das Ganze auf eine Arbeitsfläche stürzen. Die Bohnenquarkmischung in Stücke von 4 x 2 cm Größe schneiden und leicht mit Maisstärke bestäuben. Das Öl zum Fritieren mäßig erhitzen und die Beignets goldbraun braten. Abtropfen lassen und großzügig mit Pfeffer und Salz würzen. Heiß servieren.

Fritierte Austern

12 sehr große Austern oder 24 mittelgroße Austern
1 TL chinesische Pfeffer-Salz-Mischung · 6 Tassen Fritieröl.
Teig: 1/3 Tasse Mehl · 1/2 Tasse Maisstärke
2 1/2 TL Backpulver · 1 TL Salz · Prise weißer Pfeffer
1 1/2 EL pflanzliches Öl

Die Austern in leicht gesalzenem Wasser waschen, dann mit der Pfeffer-Salz-Mischung einreiben. Beiseite stellen.
Aus den Teigzutaten mit Wasser einen ziemlich dickflüssigen Teig herstellen. 1 1/2 - 2 Minuten schlagen, dann 10 Minuten ruhen lassen. Das Fritieröl bis zum Rauchpunkt erhitzen. Die Austern dick mit Teig überziehen und in mehreren Partien fritieren, bis sie goldbraun und schön aufgegangen sind. Auf Küchenkrepp abtropfen lassen. Auf einer Unterlage von Salatblättern anordnen und dazu Schälchen mit chinesischer Pfeffer-Salz-Mischung und süßsaurer Sauce zum Eintunken reichen.

FISCH

❖

Seezungenröllchen

4 Seezungenfilets (à 120 g) · Gewürzmischung für Fischge-
richte · 2 Feigen · 1 EL Mehl · 20 g Butter · 3/8 Liter Wasser
Sauce: *1 Beutel Fertigprodukt für China-Pfanne · 1 EL süße*
Sahne · 1 Dose (425 ml) Lychees · 50 g Krabben,
tiefgefroren · 4 Feigen · 250 g Glasnudeln · Minzeblättchen

Die Seezungenfilets der Länge nach halbieren und mit der Würzmischung würzen. 2 Feigen waschen, den Blütensatz entfernen und achteln. Auf die Seezungenfilets legen, aufrollen, feststecken und in dem Mehl wenden. Die Butter heiß werden lassen. Die Seezungenröllchen darin von allen Seiten jeweils etwa 2 Minuten braten, dann herausnehmen, warmstellen und das Wasser dazugießen.
Für die Sauce das Fertigprodukt einrühren, zum Kochen bringen und etwa 10 Minuten kochen lassen. Die süße Sahne dazufügen. Die Lychees abtropfen lassen und dazugeben. Die Krabben in die Sauce geben. Restliche Feigen waschen, der Länge nach vierteln, dazugeben und mit heiß werden lassen.
Die Glasnudeln nach Anweisung auf dem Beutel zubereiten.
Glasnudeln, Seezungenröllchen und die Sauce auf Tellern anrichten und mit den Minzeblättchen garnieren.

Abbildung rechts

Muscheln in Eiercreme

*500 g frische Muscheln in der Schale · 2 Frühlingszwiebeln,
geputzt und in Scheiben geschnitten · 2 Scheiben frischer
Ingwer, kleingeschnitten · 2 EL Öl zum Braten · 6 Eiweiß, gut
geschlagen · 3 ganze Eier, geschlagen
1 3/4 Tassen Hühnerbrühe · 2 EL Maisstärke.
Gewürze: 1 3/4 TL Salz · 1/2 TL Glutamat (wahlweise)
1 EL Reiswein oder trockener Sherry · 1/4 TL gemahlener
schwarzer Pfeffer*

Die Muscheln gründlich waschen und die Schalen mit einer weichen Bürste abbürsten, Gut in kaltem Wasser abspülen und mit Frühlingszwiebeln, Ingwer und Öl zum Braten in einen Wok geben. Zudecken und bei mäßiger Hitze garen, Wok gelegentlich schütteln, damit die Schalen sich leichter öffnen. Wenn sich die meisten Schalen geöffnet haben, diejenigen Muscheln wegwerfen, deren Schalen noch geschlossen sind. Auf eine große Platte geben.

Die Eiweiß, die ganzen Eier und die Hühnerbrühe mit der Maisstärke verrühren, Gewürzzutaten zugeben und auf die Platte geben. Die Platte auf einer Bambusmatte in einen Dämpfer stellen und über kochendem Wasser etwa 20 Minuten dämpfen. Platte herausnehmen und das Ganze sofort heiß servieren.

Flußaal und Schinken im Topf gedämpft

*1 großer Flußaal von 750 g · 1 EL Reiswein oder trockener
Sherry · 1 EL Salz · 125 g chinesischer oder geräucherter
Schinken, gewürfelt · 2 Frühlingszwiebeln, geputzt
und in Scheiben geschnitten · 3 Scheiben frischer Ingwer
1 Tasse Hühnerbrühe.
Gewürze: 1 1/2 TL Salz · 1 TL Zucker · 1/2 TL Glutamat
(wahlweise) · 1/2 TL weißer Pfeffer*

Den Aalkopf abschneiden, Bauchseite aufschlitzen, putzen und gründlich waschen. Den Aal in 2,5 cm lange Stücke schneiden und mit Salz und Wein einreiben. 10 Minuten stehen lassen, dann wieder spülen und zusammen mit dem gewürfelten Schinken und Zwiebeln und Ingwer in eine eingefettete Kasserolle geben. Hühnerbrühe und Gewürze zugeben und den Deckel mit nassem Butterbrotpapier verschließen. Den Deckel fest daraufsetzen und den Topf auf einer Bambusmatte in einen Dämpfer stellen. Bei schwach kochendem Wasser 1 1/2 bis 1 3/4 Stunden dämpfen, bis der Aal zart ist. Zwiebel und Ingwer herausnehmen und abschmecken, bevor der Aal in der Kasserolle serviert wird. Falls gewünscht, mit weißem Pfeffer und feingehacktem frischen Koriander garnieren.

Gebratene Fischscheiben mit Ingwer und süßen Pickles

375 g weißfleischiges Fischfilet · 1 1/2 Tassen Öl zum Braten · 2 Frühlingszwiebeln, geputzt und kleingeschnitten · 6 - 8 dünne Scheiben frischer junger Ingwer, kleingeschnitten · 60 g Bambussprossen aus der Dose, abgetropft und kleingeschnitten · 30 g süße chinesische Pickles, zerkleinert ·1 EL chinesische Pickles-Flüssigkeit 1 TL Sesamöl (wahlweise).
Gewürze: 1 Eiweiß, geschlagen · 1/2 TL Salz 1/2 TL Zucker · 2 TL Maisstärke.
Sauce: 1/3 Tasse Hühnerbrühe · 1/2 TL Salz 1/2 TL Zucker · 1/2 TL Reiswein oder trockener Sherry · 1/2 TL Maisstärke

Den Fisch in 1 cm dicke Scheiben schneiden, die Filets dabei diagonal durchschneiden. Mit den Gewürzzutaten vermengen und 20 Minuten zum Marinieren stehen lassen.
Das Öl in einem Wok erhitzen und den Fisch 2 Minuten braten, bis er gar ist. Herausnehmen und abtropfen lassen. Alles Öl bis auf 2 EL abgießen und die Frühlingszwiebeln kurz dünsten, dann Ingwer, Bambussprossen und Pickles zugeben und 1 Minuten dünsten. Die Pickles-Flüssigkeit und die vorher verrührten Saucenzutaten zugeben und zum Kochen bringen. Simmern lassen, bis alles andickt, dann den Fisch in die Wok zurückgeben und erhitzen.

Gedünstetes Krabbenfleisch auf knusprigen Nudeln

60 g Reisnudeln, gebrochen · 4 Tassen Öl zum Fritieren
2 Frühlingszwiebeln · 2 Scheiben frischer Ingwer
3 EL weiches Schweineschmalz oder Pflanzenöl
1 EL Reiswein oder trockener Sherry · 185 g frisches oder
tiefgekühltes Krabbenfleisch oder Krabbenfleisch aus der
Dose, in kleine Stücke gezupft · 1 1/2 Tassen Hühnerbrühe
3 Eiweiß, gut geschlagen.
Gewürze: 3/4 TL Salz · 3/4 TL Zucker · 1/2 TL Glutamat
(wahlweise) · 1 EL helle Sojasauce · 2 TL Maisstärke
1 EL kaltes Wasser

Das Öl zum Fritieren erhitzen und die gebrochenen Reisnudeln in einem Fritierkorb braten, bis sie sich zu einer Wolke aus knusprig weißen Nudeln ausdehnen, etwa 15 Sekunden. Abtropfen lassen und auf eine Servierplatte umfüllen. Die zerkleinerten Frühlingszwiebeln und den Ingwer in das Schweineschmalz oder Pflanzenöl in einen zweiten Topf geben und 1 Minute braten. Wein zugeben und einige Sekunden umrühren, dann das Krabbenfleisch zugeben und kurz dünsten. Hühnerbrühe zugießen, die Gewürzzutaten zugeben und alles zum Kochen bringen. Langsam das geschlagene Ei unterheben und ohne Umrühren 1 Minute garen, dann die Sauce einrühren und die Nudeln damit übergießen. Sofort servieren.

Süßsaurer Fisch mit Banane

800 g Schollenfilet (ersatzweise Rotbarsch oder Seelachs).
Marinade: 6 EL salzige Sojasauce · 6 EL trockener Sherry
3 TL Zitronensaft · 3 EL Zuckerrübensirup.
Außerdem: 3 EL Speisestärke · 2 EL Sojaöl · 2 mittelgroße
Bananen (à 100 g) · 100 g Krabbenfleisch · 1/2 TL Curry
1 EL Pistazien

Fischfiflet trockentupfen und grob würfeln. 1/3 der Marinade-Zutaten verrühren. Fisch etwa 30 Minuten darin einlegen. Abtropfen lassen. In Speisestärke wenden. In heißem Öl (am besten in einer beschichteten

Bratpfanne) etwa 3 Minuten rundherum knusprig braun braten.
Bananen pellen, in Scheiben schneiden und kurz mitbraten. Zum Schluß
Krabben zufügen und mit erwärmen.
Fisch und Banane auf einer vorgewärmten Platte anrichten und warmstellen. Restliche verrührte Marinade
erhitzen, dicklich einkochen lassen.
Sauce über den Bananen-Fisch
träufeln. Mit Curry und Pistazien
bestreuen. Sofort servieren. Dazu
paßt Reis.

Abbildung oben

Pochierter Fisch in Sauce mit gestocktem Ei

*1 Süßwasserfisch von 750 g · 2 EL Reiswein oder trockener
Sherry · 2 Frühlingszwiebeln, geputzt und halbiert
3 Scheiben frischer Ingwer, kleingeschnitten · 2/3 TL Salz
1/4 TL Glutamat (wahlweise) · 1 EL Öl zum Braten · 3 ganze
Eier, gut geschlagen*

Den Fisch ausnehmen und putzen und in einen großen ovalen Fischtopf geben. Die restlichen Zutaten mit Ausnahme der Eier zugeben und mit warmem Wasser bedecken.

Das Wasser fast zum Kochen bringen, dann die Hitze auf niedrige Stufe schalten und den Fisch sacht pochieren, bis er zart ist, etwa 15 Minuten. Den Fisch behutsam mit 2 großen Schaumlöffeln herausheben und auf eine Servierplatte legen.

Die Brühe rasch zum Kochen bringen und Zwiebel und Ingwer wegwerfen.

Topf vom Feuer nehmen und langsam das geschlagene Ei hineinträufeln, dann ohne umzurühren stocken lassen. Abschmecken und die Sauce über den Fisch gießen.

Falls gewünscht, kann man die Sauce leicht mit einer dünnen Lösung aus Maisstärke und kaltem Wasser andicken.

Man kann diesem Gericht auch etwas mehr Farbe und Geschmack geben, wenn man feingehackten frischen Koriander oder feingehackte frische Frühlingszwiebel zugibt.

Fritierter Fisch mit Gewürzsalz

*1 ganzer Perlbarsch oder anderer Fisch von 1 kg
2 Frühlingszwiebeln, geputzt und in Scheiben geschnitten
2 Scheiben frischer Ingwer, in Streifen geschnitten
2 TL Gewürzsalz oder chinesische Pfeffer-Salz-Mischung
7 Tassen (1 3/4 Liter) Fritieröl.
Gewürze: 1 TL Zucker · 1/2 TL Glutamat (wahlweise)
1 TL Gewürzsalz · 2 TL helle Sojasauce · 1 EL Reiswein
oder trockener Sherry*

Den Fisch säubern, abschuppen und auf beiden Seiten diagonal bis fast auf die Gräten einschneiden. In eine Form legen und die Gewürzzutaten einrei-

ben, dann Frühlingszwiebeln und Ingwer auf dem Fisch verteilen und 10 Minuten stehenlassen. Wenden, Zwiebeln und Ingwer auf der anderen Seite verteilen und noch einmal 10 Minuten so stehenlassen.
Das Fritieröl auf mäßige Hitze bringen. Den Fisch abtupfen und in Öl etwa 6 Minuten backen, bis er gar ist. Aus dem Öl nehmen und gründlich abtropfen lassen. Auf eine Unterlage aus in Streifen geschnittenen Salat auf eine Servierplatte legen und mit dem Gewürzsalz oder der Pfeffer-Salz-Mischung bestreuen. Sofort servieren.
Zusätzlich können Schälchen mit Gewürzsalz oder Pfeffer-Salz-Mischung und heller Sojasauce zum Eintunken bereitgestellt werden.

Ganzer Fisch mit Knoblauch in scharfer Sauce

1 Fisch von 1 kg (weißer Seebarsch, Flußbarsch, Schnappbarsch) · 3/4 TL Salz · 1 EL Reiswein oder trockener Sherry 2 Tassen Öl zum Braten · 2 ganze Knoblauchknollen, geschält 1 1/2 EL scharfe Szetschuan-Chilipaste · 2 Frühlingszwiebeln, geputzt und in Scheiben geschnitten · 2 TL feingehackter frischer Ingwer · 1/2 TL Glutamat (wahlweise).
Gewürze/Sauce: 1 3/4 Tassen Hühnerbrühe oder Fischfond 2 EL helle Sojasauce · 2 TL Tschinkiang-Essig · 2 TL Zucker 2 TL Reiswein oder trockener Sherry

Den Fisch ausnehmen und schuppen und auf beiden Seiten diagonal anschneiden; fast bis auf die Gräten durchschneiden. Mit Salz und Wein einreiben und beiseite stellen.
Das Öl mäßig erhitzen und den Knoblauch glasig dünsten, etwa 2 Minuten. Herausnehmen und beiseite stellen. Den Fisch ins Öl geben und auf beiden Seiten goldbraun braten, dann vorsichtig herausheben. Alles Öl bis auf 2 EL abgießen und die Chilipaste kurz braten, dann die Frühlingszwiebeln und den Ingwer zugeben und einige Sekunden braten. Die vorher verrührten Gewürze/Saucenzutaten zugeben und den Fisch in den Topf zurückgeben. Zum Kochen bringen, die Knoblauchknollen zugeben, Topf zudecken und simmern lassen, bis der Fisch zart und die Sauce gut eingekocht ist, etwa 25 Minuten.
Falls nötig, die Sauce mit einer dünnen Lösung aus Maisstärke und kaltem Wasser andicken. Falls verwendet, das Glutamat einrühren und servieren.

35

Knuspriger Rotbarsch

*4 kleine Rotbarsche, je ca. 400 g (ohne Kopf,
ausgenommen und geschuppt) · 4 EL Sherry
8 EL dunkle Sojasauce · 1/2 TL Salz · 1 - 1 1/2 l Pflanzenöl
90 g Stärkepuder · 5 g eingeweichte chinesische Pilze
50 g Bambus aus der Dose · 150 g Ananas in Scheiben
150 g Porree · 100 g rote Paprika · 1 EL Sesamöl
100 g TK Erbsen · 1/4 l Ananassaft · 1/4 l Fischfond
(Fertigprodukt) · 2 EL Essigessenz (25%)
1 1/2 - 2 EL Zucker · 1 TL Sambal Oelek · Salz*

Die gewaschenen Fische mit einem scharfen Messer rautenförmig einschneiden. Ingwer schälen, in kleine Stücke schneiden und durch die Knoblauchpresse drücken.

Mit Sherry, 4 EL Sojasauce und Salz vermengen. Die Fische darin 20 - 30 Minuten marinieren, dabei öfter wenden.

Öl in einer Pfanne erhitzen. Die Fische in 80 g Stärkepuder wenden, etwas abklopfen und von jeder Seite 4 Minuten knusprig braten. Herausnehmen, warmstellen. Öl in der Pfanne beiseite stellen.

Eingeweichte Pilze und Bambus in Streifen, Ananas in Stücke schneiden. Porree und Paprika putzen, ebenfalls in feine Streifen schneiden. Sesamöl in einer Pfanne erhitzen. Nacheinander Porree, Paprika, Pilze, Bambusstreifen und Ananasstücke in die Pfanne geben und kurz braten. Aufgetaute Erbsen, Ananassaft, Fischfond, Essig-Essenz, Zucker, restliche Sojasauce und Sambal Oelek zugeben.

Alles gut verrühren und einmal aufkochen lassen. Eventuell mit Salz abschmecken.

Das Öl in der beseitegestellten Pfanne noch einmal erhitzen und die Fische nochmals 1 - 2 Minuten knusprig braten. Herausnehmen und mit der Sauce servieren. Dazu paßt Reis. *Abbildung rechts*

Shrimps à la Szetschuan
in Chiliöl-Sauce

6 große rohe Shrimps in der Schale (etwa 500 g)
Maisstärke · 15 g getrocknete „Schnee"-Pilze, 25 Minuten
eingeweicht · 45 g frische oder tiefgekühlte grüne Erbsen,
vorgegart · 1 kleine Karotte, in dünne Scheiben geschnitten
und vorgegart · 4 Tassen (1 Liter) Öl zum Fritieren
1/3 TL Sesamöl.
Gewürze A: 2 Eiweiß, gut geschlagen · 1/2 TL Salz
1 TL Ingwerwein · 1 EL Maisstärke.
Gewürze B/Sauce: 1/3 Tasse Hühnerbrühe
1/3 Tasse Zucker · 1/4 Tasse Tschingkiang-Essig
1/2 TL Salz · 1/2 TL Glutamat (wahlweise) · 1 TL Maisstärke

Die Shrimps schälen, die Schwanz-hälften unversehrt lassen. Auf dem Rücken in der Mitte aufschneiden und halbieren und die dunklen Adern entfernen. Die Shrimpshälften kreuz-weise zerschneiden, so daß sie 24 Stücke ergeben. Mit den Gewürz-zutaten A auf eine Platte geben, gut verrühren und 10 Minuten stehenlas-sen, dann leicht mit Maisstärke bestäuben. Das Wasser aus den Pilzen ausdrücken und die harten Wurzelstücke abschneiden, dann in kleine Würfel schneiden. Die Erbsen und die Karotte vorbereiten und beiseite stellen.

Das Öl zum Braten mäßig erhitzen und die Shrimps 45 Sekunden fritie-ren, dann herausnehmen und abtrop-fen lassen. 10 Minuten abkühlen lassen, dann wieder das Öl erhitzen und die Shrimps ein zweites Mal fritieren, bis die Oberfläche knusprig und golden ist. Abtropfen lassen und auf eine Platte umfüllen. Warmstellen. Das Öl bis auf 2 1/2 EL abgießen und die Pilze, die Erbsen und die Karotte 45 Sekunden pfannenrühren, dann die vorher verrührten Gewürze B/Saucen-zutaten zugeben und simmern lassen, bis die Sauce andickt. Die Shrimps zurückgeben und sorgfältig in der Sauce wenden, bis sie gründlich glasiert sind, dann auf eine vorge-wärmte Servierplatte umfüllen und die Sauce darübergießen. In einem zweiten Topf einen EL des Bratöls erhitzen und das Sesamöl zugießen. Über das Gericht gießen und sofort servieren.

FLEISCH

❖

Gedämpfte Rindfleischbällchen und Spinat auf Reis

1 1/4 Tassen roher weißer Rundkornreis · 375 g mageres Rindfleisch, feingehackt (durchgedreht) · 60 g Schweinefett, grob gehackt (durchgedreht) · 2 EL feingehackte Frühlingszwiebeln · 1 1/4 TL feingehackter frischer Ingwer 60 g Wasserkastanien oder Bambussprossen aus der Dose, feingewürfelt · 250 g frische Spinatblätter. Gewürze: 1 1/4 TL Salz · 1/2 TL Zucker · 1 EL helle Sojasauce · 2 EL kaltes Wasser · 1 EL Öl zum Braten 2 TL Maisstärke

Den Reis in kaltem Wasser einweichen. Das gehackte Rindfleisch mit dem gehackten Schweinefett vermischen und die Gewürzzutaten zufügen. Zu einer geschmeidigen Paste kneten und mindestens 1 Stunde stehenlassen, dann die restlichen Zutaten, außer dem Spinat, zufügen. Den Reis abtropfen lassen und in eine Kasserolle geben. 1 TL Salz zugeben und mit Wasser auffüllen (2,5 cm höher als der Reis). Im zugedeckten Topf kochen lassen, bis der Wasserstand unter Reisoberfläche gesunken ist, dann die gründlich gewaschenen Spinatblätter darauf verteilen.

Die Hackfleischmasse zu großen Fleischbällchen formen und auf die Spinatblätter legen.

Bei sehr schwacher Hitze weiterkochen, bis der Reis gar und locker ist und die Fleischbällchen durch sind, etwa 12 Minuten.

Die Fleischbällchen mit dem Gemüse auf eine Servierplatte geben.

Den Reis auflockern und in Reisschälchen oder auf eine andere Servierplatte füllen und zu den Fleischbällchen servieren.

Geschmortes Rindfleisch auf nordchinesische Art

*750 g beste Keule oder Bruststück vom Rind
3 Frühlingszwiebeln, geputzt und halbiert · 5 dicke Scheiben
frischer Ingwer, zerdrückt · 1/4 Tasse weiches Schweineschmalz oder Öl zum Braten.*
Gewürze: *3 Sternanis · 2 EL Zucker · 2/3 Tasse helle Sojasauce · 1/4 Tasse Reiswein oder trockener Sherry*

Das Rindfleisch in Würfel schneiden und zugedeckt 2 Minuten in kochendem Wasser blanchieren.
Rindfleisch herausnehmen und gut abtropfen lassen. Brühe entschäumen und Gewürze zugeben, Rindfleisch in das kochende Wasser zurückgeben. Das gewürfelte Rindfleisch, die Frühlingszwiebeln und den Ingwer im Schweineschmalz oder Öl pfannenrühren, bis es sich leicht verfärbt. In die Brühe geben und den Topf zudecken.
Bei schwacher Hitze mindestens 2 Stunden simmern lassen, bis das Fleisch vollkommen zart und die Sauce gut eingekocht ist.
Falls nötig, die restliche Sauce mit einer dünnen Lösung aus Maisstärke und kaltem Wasser andicken.

Hirschfleisch-Saté mit Gurkenrelish

*Für das Saté: 8 Holzspieße · 400 g Hirschfleisch aus der Keule · 3 - 5 Knoblauchzehen · 1 Stengel Zitronengras
2 - 3 getrocknete Chilischoten · 200 g Naturjoghurt
2 EL Honig · Salz · 3 - 4 EL Olivenöl.
Für das Relish: 250 g Essiggurken · 100 ml Gurkensud
5 - 6 rote Thai-Zwiebeln (im Asia-Shop erhältlich, ersatzweise Schalotten) · 1 - 2 Chilischoten · 2 EL Honig · 100 ml kaltes Wasser · 3 gestrichene TL Speisestärke.
Für den Reis: 1 EL Olivenöl · 250 g Basmati-Reis
500 ml Wasser · Salz.
Für die Garnitur: 1 Salatgurke · einige Salatblätter*

Die Holzspieße in Wasser einlegen. Das Fleisch in etwa 15 cm lange Streifen schneiden und auf die Holzspieße stecken. Knoblauch

schälen, Zitronengras putzen und beides mit den Chilischoten fein hacken. Mit Joghurt und Honig verrühren und mit Salz abschmecken. Die Fleischspieße darin mehrere Stunden einlegen. Für das Relish Essiggurken mit Gurkensud, Zwiebeln, Chilischoten und Honig im Mixer fein zerkleinern und anschließend erhitzen. Wasser und Stärke verrühren, unter das Relish rühren und noch einmal aufkochen lassen.

Für den Reis das Olivenöl erhitzen und den Reis kurz darin anbraten. Mit dem Wasser aufgießen, mit wenig Salz würzen, aufkochen und bei schwacher Hitze etwa 20 Minuten ausquellen lassen.

Für das Saté das Olivenöl erhitzen, die Fleischstücke aus der Marinade nehmen und kurz in dem Öl anbraten (1 - 2 Minuten). Das Fleisch sollte noch rosa sein. Für die Garnitur die Salatgurke in 4 gleichgroße Stücke teilen und fächerförmig aufschneiden. Mit den Salatblättern auf 4 Tellern anrichten. Den Reis in gebutterte Förmchen streichen und auf die Teller stürzen. Je zwei Spieße auf die Salatblätter legen. Das Gurkenrelish auf die Teller verteilen und servieren.

Abbildung oben

Gedünstetes Lamm mit Knoblauch

*280 g mageres Lammfleisch · 2 Frühlingszwiebeln, geputzt
und in Scheiben geschnitten · 10 Knoblauchzehen, in Scheiben geschnitten · 1/4 Tasse Öl zum Braten.
Gewürze A: 1/4 TL Salz · 1 1/2 TL gemahlene braune
chinesische Pfefferkörner · 2 EL helle Sojasauce
2 TL Reiswein oder trockener Sherry · 1 EL Öl zum
Braten · 1 TL Sesamöl · 1 TL Maisstärke.
Gewürze B: 1 EL helle Sojasauce · 1 TL Reiswein oder
trockener Sherry · 2 TL Sesamöl*

Das Lammfleisch quer zur Faser in dünne Scheiben schneiden, dann in kleine Stücke schneiden. Zusammen mit den Gewürzzutaten A in eine Schüssel geben, gut vermengen und 20 Minuten stehen lassen.
Das Öl in einem Wok erhitzen und die Frühlingszwiebeln 30 Sekunden anbraten. Dann herausnehmen.
Den Topf von neuem erhitzen und das zerkleinerte Lammfleisch braten, bis es sich leicht verfärbt, etwa 2 Minuten.
Zwiebeln und Knoblauch in den Topf zurückgeben, Gewürzzutaten B zugeben, sie jeweils an einer anderen Seite des Topfes getrennt dünsten. Dann alles verrühren und noch einige Sekunden weiterdünsten, bis das Lammfleisch gerade gegart ist.
Auf einer vorgewärmten Servierplatte anrichten.

Schweinekutteln in scharfer Pfeffersauce mit Erdnüssen

*625 g Schweinekutteln · 4 Frühlingszwiebeln
6 Scheiben frischer Ingwer · 1 EL Weißweinessig · 1 TL Salz
75 g rohe Erdnüsse · 2 Tassen Öl zum Braten.
Sauce: 1 EL Sesamöl · 1 EL Chiliöl · 2 TL helle Sojasauce
2 TL Tschinkiang-Essig · 1/2 TL Salz · 1/2 TL Glutamat
(wahlweise) · 1 TL Zucker · 1 TL gemahlene braune
chinesische Pfefferkörner*

Die Kutteln gut waschen und in etwa 1 cm große Quadrate schneiden. Mit der Hälfte der Frühlingszwiebeln und dem Ingwer, dem Essig und dem Salz in einen Topf geben und mit Wasser bedecken. Zum Kochen bringen und simmern lassen, bis die Kutteln zart sind, Haut abziehen. Gründlich trocknen lassen, dann im Öl fritieren, bis sie goldbraun sind. Wieder ab-tropfen lassen. Die Saucenzutaten verrühren. Die gekochten Kutteln auf einer Platte anrichten und restliche Frühlingszwiebeln und Ingwer fein gehackt zugeben. Leicht umrühren und servieren.

Langsam gegarte Schweinshaxe mit Bohnenquark und Knoblauch

750 g Schweinshaxe (frischer Schinken)
4 Würfel fermentierter Bohnenquark mit der Flüssigkeit
8 - 10 Knoblauchzehen, zerdrückt • 1/4 Tasse Öl zum Braten
oder weiches Schweineschmalz • 3 Frühlingszwiebeln, geputzt
und halbiert • 3 dicke Scheiben frischer Ingwer, zerdrückt
1 TL Glutamat (wahlweise).
Gewürze: 1/3 Tasse helle Sojasauce • 2 EL Reiswein
oder trockener Sherry • 1 Tasse Zuckerfarbe
Hühnerbrühe • 1 EL Zucker

Das Schweinefleisch in 4 cm große Würfel schneiden und in kochendem Wasser blanchieren. Abtropfen lassen. Den Bohnenquark mit einer Gabel zermusen, die Flüssigkeit zugeben und mit den Knoblauchzehen in dem Öl oder Schweineschmalz 2 Minuten dünsten. Schweinefleisch zugeben und braten, bis es sich gut verfärbt hat. Zwiebeln und Ingwer zugeben, kurz braten, dann die vorher verrührten Gewürzzutaten zugießen, genug Hühnerbrühe zugeben, so daß das Fleisch eben bedeckt ist. Zum Kochen bringen und in eine Kasserolle umfüllen.
1 1/2 bis 1 3/4 Stunden simmern lassen, bis das Schweinefleisch zart ist, falls gewünscht, Glutamat zugeben und servieren.

Staudensellerie mit Schweinefleisch süß-sauer

*600 g Schweinenacken · 600 g Staudensellerie, geputzt
5 EL Sojasauce · 3 EL Sherry medium
1 EL Speisestärke · 4 EL Öl · 1/8 Liter Wasser · Salz
(wahlweise) · Reis · Kopfsalat (wahlweise)*

Den Schweinenacken in 1 cm breite Streifen schneiden. Den Staudensellerie gut waschen, in 1 cm breite Streifen schneiden. 2 EL Sojasauce, 1 EL Sherry und die Speisestärke verrühren und das Fleisch darin wenden. 2 EL Öl im chinesischen Wok oder einer Pfanne erhitzen, Staudensellerie hineingeben und etwa 5 Minuten dünsten, herausnehmen und warmstellen. 2 EL Öl im Wok erhitzen, das Fleisch hinzugeben und 10 Minuten anbraten. Staudensellerie, Wasser, die restliche Sojasauce und den restlichen Sherry darübergeben, durchrühren, zudecken und bei mäßiger Hitze 20 Minuten garen. Falls verwendet, mit Salz nachwürzen. Mit körnig gekochtem Reis und Kopfsalat servieren. *Abbildung rechts*

Geschmortes Schweinefleisch nach Szetschuaner Art

1 kg Vorderschlegel vom Schwein (mit viel Schwarte), ohne Knochen · 10 Frühlingszwiebeln, geputzt · 2 Stücke Sternanis · 1 Tasse helle Sojasauce · 1/2 Tasse Reiswein oder trockener Sherry · 2/3 Tasse Zucker

Das Fleisch in große Würfel und die Schwarte in 4 cm breite Stücke schneiden. Die Zwiebeln auf dem Boden einer Kasserolle verteilen und das Fleisch und die Schwartenstücke darüber geben. Die restlichen Zutaten zugeben und mit Wasser bedecken. Die Kasserolle zugedeckt zum Kochen bringen. Mindestens 1 Stunde bei mäßiger Hitze weiterschmoren, bis das Fleisch vollkommen zart und die Sauce ziemlich eingekocht und dick ist. Während des Garens nicht den Deckel abnehmen, doch gelegentlich den Topf etwas schütteln, um den Inhalt zu wenden. Zum Auftragen den Inhalt der Kasserolle auf eine Servierplatte geben und die Frühlingszwiebeln um das Fleisch herum anordnen.

Schweinegeschnetzeltes mit milder Bohnenpaste

440 g durchwachsener Schweinebauch oder mageres Schweinefleisch · 10 Frühlingszwiebeln, geputzt und in feine Streifen geschnitten · 1/4 Tasse Schweineschmalz oder Öl 1 EL Reiswein oder trockener Sherry · 2 EL süße Bohnenpaste · 1 1/2 EL helle Sojasauce · 1 TL Zucker.
Gewürze: *1/2 TL Salz · 3/4 TL Zucker · 2 TL helle Sojasauce 2 TL Reiswein oder trockener Sherry*

Das Fleisch quer zur Faser in dünne Scheiben schneiden, dann in schmale Streifen. Zusammen mit den Gewürzen in eine Schüssel geben, gut durchmischen und 15 Minuten ziehen lassen. Die Frühlingszwiebeln auf einer Platte anordnen. Das Schmalz oder Öl in einem Wok erhitzen und das in Streifen geschnittene Fleisch zugeben. Bei mittlerer Hitze pfannenrühren, bis das Fleisch Farbe annimmt, dann den Wein an der Seite des Topfes hineinträufeln und unterrühren. Die süße Bohnenpaste, die Sojasauce und den Zucker einzeln zugeben und kurz schmoren. Das Fleisch über die Zwiebeln geben und sofort auftragen.

Fritierte Schweinekoteletts

6 kleine Schweinekoteletts (aus dem Lendenstück; etwa 700 g) · 1 1/2 Tassen Semmelbrösel · 2 Eier, kräftig verquirlt · Maisstärke · 6 Tassen (1 1/2 Liter) Fritieröl Gewürzsalz · Worcestershire- oder helle Sojasauce.
Gewürze: *1/2 TL Salz · 3/4 TL Glutamat (wahlweise) 1 EL Reiswein oder trockener Sherry · 1 EL feingehackte Frühlingszwiebel · 1 1/2 TL geriebener frischer Ingwer*

Die Koteletts mit der Breitseite eines Hackmessers klopfen. Mit den Gewürzzutaten einreiben und 25 Minuten ziehen lassen.
Das Semmelmehl auf ein Brett streuen. Die Koteletts leicht mit Maisstärke bestäuben, dann in die verquirlten Eier tauchen und im Semmelmehl wenden.
Das Fritieröl auf ziemlich starke Hitze bringen und die Koteletts 1 Minute fritieren. Die Hitze herunterschalten

und weitere 3 Minuten fritieren, bis die Koteletts gut gebräunt und gar sind.
Gründlich abtropfen lassen und mit Tunken aus Worcestershire- oder heller Sojasauce und Gewürzsalz servieren.
Falls gewünscht, können die Koteletts auch mit den Knochen in mundgerechte Stücke geschnitten werden.

Winterbambussprossen mit Schweinefleisch und Szechuan-Gemüse

1 Dose (500 g) Winterbambussprossen, abgetropft
4 Tassen Fritieröl · 2 EL Sesamöl · 60 g mageres
Schweinefleisch, grobgehackt · 2 EL feingehackte
Frühlingszwiebeln · 1 TL feingehackter frischer Ingwer
1/2 TL Knoblauch, zerdrückt (wahlweise) · 20 g eingelegte
Szechuan-Gemüse, feingewürfelt.
Gewürze: *1/2 TL Salz · 1 EL helle Sojasauce · 2 TL Reiswein*
oder trockener Sherry · 1 1/4 TL Zucker

Die Bambussprossen diagonal in 2 cm lange Stücke schneiden. Das Fritieröl auf mäßige Hitze bringen und die Bambussprossen darin fritieren, bis sie goldgelb sind. Gut abtropfen lassen. Das Öl bis auf die Menge von 1 EL abgießen und das Sesamöl zugeben. Bis zum Rauchpunkt erhitzen und das feingehackte Schweinefleisch rasch pfannenrühren, bis es sich verfärbt. Die Hitze herunterschalten und Frühlingszwiebeln, Ingwer und Knoblauch (falls verwendet) zugeben und 45 Sekunden pfannenrühren. Das feingewürfelte Gemüse und die Gewürzzutaten zufügen und 45 Sekunden pfannenrühren, dann die Bambussprossen wieder in den Topf geben und durchziehen lassen. In einer Servierschale auftragen.

47

Schweinerippchen mit schwarzer Bohnensauce

*6 fleischige Schweinerippchen (etwa 625 g) oder
Schweinekoteletts · 1 1/2 EL fermentierte schwarze
Bohnen · 3/4 TL zerdrückter Knoblauch · 1 1/2 TL Zucker
2 EL helle Sojasauce · 1 TL dunkle Sojasauce · 2 TL trockener
Sherry · 2 EL Wasser · 1 EL pflanzliches Öl · 1 frische rote
Chilischote (wahlweise)*

Die Rippchen putzen und in jeweils 5 oder 6 Stücke schneiden. Die schwarzen Bohnen waschen und gut trockentupfen. Grob hacken und mit den restlichen Zutaten vermengen. Die Rippenstücken in eine Schale geben und mit den vorbereiteten Gewürzzutaten bedecken. 1 - 2 Stunden ziehen lassen. Die Schüssel auf einen Rost in einen Dämpfer stellen und über schwach kochendem Wasser dämpfen, bis das Fleisch vollkommen gar ist, etwa 1 Stunde. In der Schüssel servieren.
Bei Verwendung der Chilischote diese vor dem Dämpfen zugeben.

Süß-scharfe Spare Rips

*18 Schweinerippchen nach amerikanischer Art
(Spare Rips; etwa 700 g).
Gewürze: 1/4 TL Salz · 1 1/2 EL Zucker · 2 TL Fünf-Gewürze-
Pulver · 2 EL helle Sojasauce · 2 EL Reiswein oder trockener
Sherry · 2 EL Sojabohnenpaste · 2 Würfel fermentierter
Bohnenquark mit der Flüssigkeit, zerquetscht
2 EL pflanzliches Öl · 1 1/2 TL zerdrückter Knoblauch*

Die Spare Rips waschen und mit Küchenkrepp trockentupfen. Die Gewürzzutaten mischen. Die Rippchen in eine Schüssel geben und auf beiden Seiten dick mit der Würzpaste einschmieren. 1 1/2 bis 2 Stunden so stehenlassen, dann auf ein eingeöltes Backblech legen und im vorgeheizten Ofen bei mittlerer Hitze (220 Grad C) oder unter mäßig heißem Grill etwa 25 Minuten braten. Zwischendurch die Rippchen gelegentlich wenden und mit der restlichen Würzpaste und dem Bratensaft bestreichen. Gegebenenfalls etwas Öl zugeben, falls sie trocken werden. Zusammen mit Gewürzsalz zum Eintunken und mit Pflaumensauce servieren.

Pilzpfanne mit Rindfleisch

800 g Rinderfilet.
Marinade: 1 Knoblauchzehe · 1 kandierte Ingwerpflaume
Schwarzer Pfeffer aus der Mühle · 1 Prise Glutamat
1/8 Liter Reiswein oder trockener Sherry · 1/8 Liter Weißwein
4 EL salzige Sojasauce · Saft von 1/2 Zitrone
2 EL Zuckerrübensirup.
Außerdem: 300 g Austernpilze · 300 g Shii-Take-Pilze
4 Schalotten · 5 EL Sojaöl · 2 Becher Sahnejoghurt (à 150 g)
1 Bund glatte Petersilie

Das Fleisch kalt abspülen, trockentupfen und schnetzeln. Für die Marinade Knoblauch pellen und hacken. Ingwerpflaume ebenfalls fein hacken. Mit den restlichen Marinade-Zutaten und 1 EL Zuckerrübensirup verrühren. Fleischstreifen darin etwa 2 Stunden einlegen. Dabei kühl stellen.
Inzwischen Pilze putzen, abreiben und in mundgerechte Stücke schneiden. Schalotten pellen und fein würfeln. Abgetropftes Fleisch in

3 EL heißem Öl etwa 3 Minuten rundherum anbraten. Herausnehmen und warmstellen. 2 EL Öl im Bratfett erhitzen. Zwiebelwürfel darin bräunen. Pilze zufügen und etwa 5 Minuten offen dünsten. Fleisch wieder dazugeben. Joghurt und 1 EL Marinade zufügen, kurz erwärmen.
Mit 1 EL Zuckerrübensirup abschmekken und mit grob gehackter Petersilie bestreuen. Dazu paßt Reis.

Abbildung oben

49

Pfannengerührtes Rindfleisch mit jungem Ingwer und Ananas

*250 g Rinderfilet · 45 g Ananasstücke aus der Dose,
abgetropft · 1 Stück (2 cm) frischer junger Ingwer
1 Frühlingszwiebel, geputzt und in Scheiben geschnitten
1/4 Tasse Öl zum Braten · 2 TL Reiswein oder
trockener Sherry.
Gewürze A: 1 Eiweiß, geschlagen · 1/2 TL Salz
2 TL pflanzliches Öl · 2 TL Maisstärke.
Gewürze B/Sauce: 2 EL Hühnerbrühe · 1 EL helle Sojasauce
1/3 TL Salz · 1/2 TL Zucker · 1/2 TL Maisstärke*

Das Rinderfilet anfrieren und quer zur Faser in papierdünne Scheiben, dann in Streifen von etwa 2,5 x 5 cm schneiden. Zusammen mit den Gewürzzutaten A in eine Schüssel geben und 20 Minuten marinieren. Die Ananasstücke halbieren. Den Ingwer enthäuten und in sehr dünne Scheiben schneiden. Das Öl in einem Wok erhitzen und die Frühlingszwiebel und den Ingwer 1 Minute pfannenrühren, dann zur Seite schieben und das Rindfleisch zugeben. Pfannenrühren, bis es sich verfärbt, dann den Wein köcheln, dann die Ananasstücke zugeben und durchziehen lassen. Auf eine Servierplatte geben.

Kalte Rindfleischscheiben

*1 1/4 kg Rindfleisch (Oberschale oder Mittelbrust)
8 Tassen (2 Liter) Wasser · 2/3 Tasse Reiswein oder
trockener Sherry · 2 EL Salz · 1/2 Tasse Zucker
3 Gewürzbeutel · 3 Tassen helle Sojasauce*

Das Fleisch waschen und abtropfen lassen. In einem großen Topf das Wasser zum Kochen bringen und alle Zutaten bis auf die Sojasauce hineingeben. Dann das ganze Fleischstück in den Topf geben und wieder zum Kochen bringen. 10 Minuten schwach kochen lassen, gelegentlich abschäumen, dann die Sojasauce zugeben und auf sehr schwache Hitze stellen. Den Topf fest zudecken und sieden lassen, bis das Rindfleisch vollkommen gar ist, etwa 1 3/4 Stunden. Gut abtropfen lassen. In eine Schüssel geben und leicht beschweren. Kühlen, bevor es in waffeldünne Scheiben geschnitten wird. Zum Servieren die Fleischscheiben gefällig auf einer großen Platte anrichten und etwas von der Sauce darübergießen.

Gedünstetes Schweinefleisch mit Pinienkernen

375 g Schweinefilet · 1 Tasse Pinienkerne (die in chinesischen Spezialgeschäften manchmal „Olivenkerne" heißen. Falls Pinienkerne nicht erhältlich sind, Cashews oder Walnüsse verwenden) · 2 Tassen Öl zum Braten 1/2 TL Salz · 1 1/4 TL Zucker · 3 Frühlingszwiebeln, geputzt und in Scheiben geschnitten.
Gewürze: 1 EL helle Sojasauce · 2 EL Reiswein oder trockener Sherry · 2 TL Maisstärke

Das Schweinefleisch quer zur Faser in dünne Scheiben schneiden und mit den Gewürzzutaten vermengen. 20 Minuten stehen lassen, dabei mehrmals wenden.
Das Fritieröl mäßig erhitzen und die Pinienkerne in einem Fritierkorb goldbraun braten, etwa 30 Sekunden. Abtropfen lassen und alles Öl bis auf 3 EL abgießen. Salz, Zucker und Frühlingszwiebeln zugeben und kurz dünsten, dann im Topf zur Seite schieben und das Schweinefleisch zugeben.
Unter gelegentlichem Umrühren gar dünsten.
Die gebratenen Pinienkerne zugeben und sofort servieren.

Fondue Chinoise

Fondue: *1 1/2 Liter Gemüsebouillon • 1 Karotte (100 g)*
1/2 Lauchstengel (100 g) • 40 g Stangensellerie
5 g frischer gehackter Ingwer • 1/2 Zitronengrasstengel
(oder 1 Stück Zitronenschale) • Salz • 1 200 g Rinderfilet
etwa 650 g Gemüse (z. B. Chinakohl, Fenchel, Karotten,
Stangensellerie, Bambussprossen (aus der Dose),
TK-Erbsen, Sojasprossen (frisch oder aus der Dose)
120 g gekochte Glasnudeln.
Ingwersauce: *100 g Mayonnaise • 2 EL frisch geriebener*
Ingwer • 1/2 Zitronengrasstengel (oder
1 Stück Zitronenschale) • Salz.
Schwarze-Pfeffer-Sauce: *1 Bund Dill • Saft einer Zitrone*
1/2 Flasche fertige Schwarze-Pfeffer-Sauce.
Sesamsauce: *100 g Mayonnaise • 1 - 2 EL gerösteter*
Sesam • 1 EL Schnittlauch • 1 TL Sojasauce • etwas Sesamöl
(wahlweise) • Salz.
Teufels-Sauce: *1/2 Flasche fertige Teufels-Sauce*
3 - 4 EL Orangensaft

Für die Ingwersauce sämtliche Zutaten vermengen, mit Salz würzen und 1 - 2 Stunden kühl stellen.
Für die Schwarze-Pfeffer-Sauce den Dill feinschneiden und mit dem Zitronensaft unter die Sauce rühren.
Für die Sesamsauce Mayonnaise und Sesam mischen. Schnittlauch fein schneiden und mit den restlichen Zutaten unter die Sesam-Mayonnaise mengen. Nach Belieben leicht salzen. Die Teufels-Sauce mit Orangensaft abschmecken.
Die Gemüsebouillon auf dem Herd aufkochen und anschließend im Feuertopf bzw. über dem Rechaud nur noch köcheln lassen. Karotte, Lauch und Sellerie, Ingwer und Zitronengras kleinschneiden und in der Bouillon mitköcheln lassen. Das Rinderfilet in dünne Scheiben schneiden und den Chinakohl in 3 cm breite Streifen schneiden. Fenchel, Karotten, Stangensellerie und Bambussprossen in feine Streifen schneiden.
Gemüse, Fleisch, Glasnudeln und Sprossen nach Belieben in Messing-Körbchen (typisches Utensil der chinesischen Fondueküche, das man in jedem Asienladen und den meisten Haushaltsgeschäften erhält) füllen. Für 1 - 2 Minuten in die siedende Bouillon hängen. Herausnehmen, etwas abtropfen lassen und die Körbchen auf die Teller stürzen. Mit den Saucen kombinieren.

Abbildung rechts

Schweinefleisch „Su tung po"

825 g Schweinebauch oder frischer Bacon · 1 EL Salz
8 Stücke Kandiszucker (oder eine halbe Tasse Kristallzucker)
1/3 Tasse helle Sojasauce · 1/4 Tasse Reiswein oder trocke-
ner Sherry · 2 Frühlingszwiebeln, geputzt und halbiert · 4 dicke
Scheiben frischer Ingwer, zerdrückt · 90 g Champignons aus
der Dose, abgetropft und in Scheiben geschnitten · 8 getrock-
nete schwarze Baumpilze, 25 Minuten eingeweicht

Das Schweinefleisch mit dem Salz einreiben und 1 Stunde stehen lassen, dann 2 Minuten in kochendem Wasser blanchieren und gründlich in kaltem Wasser abspülen. Gut abtropfen lassen.

Das Schweinefleisch in einem sehr heißen, trockenen Topf anbraten, bis die Oberfläche sich verfärbt und knusprig zu werden beginnt.

Das Fleisch in etwa 1 cm dicke Scheiben schneinden, dann in Streifen von 5 cm Länge. In einem Topf anrichten, restliche Zutaten zugeben und zudecken. (Erst überschüssiges Wasser aus den schwarzen Baumpilzen herausdrücken und Stiele entfernen.) 2 1/2 - 3 Stunden simmern lassen, bis das Schweinefleisch vollkommen zart ist.

Schweinefleisch und Pilze in eine Servierschüssel geben, Zwiebel und Ingwer wegwerfen. Die Sauce zum Kochen bringen, abschmecken und über das Fleisch seihen. Sofort servieren.

„Perlen"-Bällchen

250 g mageres Schweinefleisch, feingehackt
6 Wasserkastanien aus der Dose, gehackt · 15 g getrocknete
Garnelen, 1 Stunde eingeweicht und gehackt (nach Belieben)
1 EL Frühlingszwiebeln, feingehackt · 1 TL frischer Ingwer,
feingehackt · 1 Tasse roher Langkorn-Klebereis,
2 Stunden eingeweicht
Würzzutaten: 1 EL helle Sojasauce · 2 TL Reiswein oder
trockener Sherry · 1/4 TL Salz · 1/4 TL Glutamat
(nach Belieben) · 1/2 TL Zucker · 1/4 TL gemahlener
schwarzer Pfeffer · 1 1/4 EL Maismehl (Maisstärke)

Das Hackfleisch mit den zerkleinerten Wasserkastanien und den Gewürzen vermischen. Die getrockneten Garnelen abtropfen lassen und feinhacken –

falls verwendet – und zusammen mit der Frühlingszwiebel und dem Ingwer unter das Fleisch mischen. Zu einer glatten Paste verkneten, dabei immer wieder durch die Finger drücken bis die Masse gründlich vermischt ist und zusammenhält. Die Masse mit angefeuchteten Händen zu 24 Bällchen formen. Den Reis gründlich abtropfen lassen und auf einem Teller ausbreiten. Bei Bällchen einzeln im Reis wenden, bis sie dick mit Reiskörnern überzogen sind. Auf einer leicht eingeölten, flachen Form anordnen und auf ein Gestell in einen Dämpftopf setzen. Zwischen den Bällchen etwas Platz lassen, damit der Reis quellen kann. Etwa 30 Minuten über sprudelnd kochendem Wasser dämpfen, bis der Reis durchsichtig und gar und das Fleisch durch ist. Auf demselben Teller mit frischem Koriander garniert servieren und Tunken aus heller Sojasauce und Pfeffersoße dazu reichen.

Gedünstetes Lammgeschnetzeltes und Frühlingszwiebeln

375 g Lammfleisch ohne Knochen · 10 große Frühlingszwiebeln (oder braune Zwiebeln) in dünne Scheiben geschnitten (falls in Scheiben geschnittene braune Zwiebeln verwendet werden, im Öl bräunen, bevor das Fleisch gegart wird) · 1/4 Tasse Öl zum Braten 2 TL Sesamöl (wahlweise)
Gewürze A: 1/2 TL Zucker · 1/2 TL Glutamat · 1 EL helle Sojasauce · 1/2 TL Reiswein oder trockener Sherry
Gewürze B: 1/2 TL Zucker · 1/4 TL weißer Pfeffer · 1/4 TL Glutamat · 1 EL helle Sojasauce · 1/2 TL Reiswein oder trockener Sherry · 2 TL Sesamöl

Das Lammfleisch anfrieren, quer zur Faser in sehr dünne Scheiben schneiden, dann schnetzeln. Mit den Gewürzzutaten A vermengen und 20 Minuten zum Marinieren stehen lassen.
Das meiste der grünen Teile der Frühlingszwiebeln wegschneiden, dann in 4 cm lange Stücke schneiden und fein zerkleinern. Das Öl mit dem Sesamöl (falls verwendet) bis zum Rauchpunkt erhitzen, dann das geschnetzelte Lammfleisch bei recht hoher Hitze dünsten, bis es sich verfärbt, etwa 1 1/2 Minuten. Frühlingszwiebeln zugeben und eine weitere 1/2 Minute braten, dann die vorher verrührten Gewürzzutaten B zugeben und alles bei großer Hitze garen; während des Siedens gut verrühren. In eine Servierschüssel umfüllen.

Hirschfleisch süß-sauer aus dem Wok

*300 g Hirschfleisch aus der Keule · 1/2 rote Paprikaschote
(100 g) · 100 g Zuckerschoten · 300 g Brokkoli und
Romanesco · 50 g Sojasprossen · 1 Zwiebel · 50 g Shii-Take-
Pilze · 4 - 5 EL Olivenöl · 2 - 3 EL Sojasauce · 2 - 3 EL Sherry
2 EL Honig · Salz · 100 ml Wasser · 2 - 3 Chili-Schoten
3 gestrichene EL Speisestärke · 3 - 4 EL Sesam
1 Bund frischer Koreander (im Asia-Shop erhältlich)
Außerdem: 250 g Glasnudeln · Salz*

Das Fleisch in 2 cm große Würfel schneiden. Das Gemüse waschen, putzen und nach Bedarf zerkleinern. Das Olivenöl im Wok erhitzen, Brokkoli und Romanesco anbraten und an den Rand schieben. Nacheinander Zwiebeln, Paprika, Zuckerschoten und Shii-Take-Pilze ebenfalls anbraten und an den Rand schieben. Als letztes das Hirschfleisch anbraten, mit Sojasauce und Sherry ablöschen. Alle Zutaten vorsichtig im Wok vermengen und mit Honig und Salz abschmecken.

Das Wasser mit der Stärke verrühren, in den Wok geben und aufkochen lassen. Chili-Schoten fein hacken und mit dem Sesam zu der Gemüse-Fleisch-Mischung geben. Nochmals mit Salz abschmecken. Koriander grob hacken und darüberstreuen. Die Glasnudeln in kaltem Wasser 5 Minuten einweichen. Reichlich Salzwasser zum Kochen bringen, die Nudeln kurz darin blanchieren. Abtropfen lassen und mit dem süß-sauren Hirschfleisch servieren.

> **TIP:** Dieses Gericht ist auch ideal für die Verwertung kleinerer Hirschfleischabschnitte bzw. für das preiswerte Fleisch aus der Schulter. Das Fleisch dabei nicht zu lange garen, damit es schön zart bleibt.

Lamm-Curry

*1 kg Lammschulter · 1 Becher saure Sahne
3 EL Sojasauce · 2 EL Zuckerrübensirup · 1/2 TL Ingwerpulver
2 EL Curry · 2 Zwiebeln (100 g) · 1 Knoblauchzehe · 3 EL
Sojaöl · 1 TL Zimtpulver · 1 TL Kardamom · 1 TL gemahlener
Kümmel · 1 Prise geriebene Muskatnuß
1/2 TL Chayennepfeffer · 1 Bund Petersilie*

Das Lammfleisch kalt abspülen, mit Küchenkrepp trockentupfen.
Das Fleisch von den Knochen lösen und grob würfeln. In eine Schüssel geben. Saure Sahne mit Sojasauce, einem Eßlöffel Zuckerrübensirup, Ingwer und Curry verrühren und über das Fleisch geben. Alles gut vermischen. Zugedeckt, am besten über Nacht, kühl stellen.
Zwiebeln und Knoblauch pellen und klein schneiden. In heißem Öl anbraten. Einen Eßlöffel Zuckerrübensirup kurz mit erhitzen. Fleisch mit saurer Sahne zufügen. Alles etwa 50 Minuten geschlossen schmoren lassen. Danach mit den restlichen Gewürzen scharf abschmecken. Nicht mehr kochen lassen! Fertiges Lamm-Curry dicht mit gehackter Petersilie bestreuen.
Dazu paßt knuspriges Fladenbrot.

Abbildung oben

57

GEFLÜGEL

❖

Gedämpfte Ente mit Enteneiern und Wein mariniert

1 Ente von 1 1/2 kg · 2 Frühlingszwiebeln, geputzt und in Scheiben geschnitten · 5 Scheiben frischer Ingwer. Gewürze: 2 eingelegte Enteneier („Tausendjährige Eier". Falls diese nicht erhältlich sind, gesalzene Enteneier verwenden oder 2 hartgekochte Eigelb von der Ente oder vom Huhn mit 2 Würfeln fermentiertem Bohnenquark vermusen) · 1/4 Tasse Reiswein oder trockener Sherry · 2 EL süßer Reiswein oder japanischer Mirin (wahlweise) · 1 1/2 TL Salz · 2 TL Zucker 3/4 TL Glutamat (wahlweise)

Die Ente ausnehmen und putzen, gut abwaschen und mit Küchenkrepp abtrocknen. Anschließend etwa 4 Stunden an einem Ort mit guter Luftzufuhr zum Austrocknen der Haut aufhängen.

Die Frühlingszwiebeln und den Ingwer in die Höhlung geben. Die Gewürzzutaten vermengen und zu einer glatten Paste verrühren. Die Ente dick damit bestreichen und 30 Minuten stehen lassen; anschließend mit der Brustseite nach oben in eine Kasserolle legen und mit Butterbrotpapier zudek-

ken, dann fest den Deckel darauf-
setzen.
Auf einer Bambusmatte in einen
Dämpfer stellen und bei starker Hitze

dämpfen, bis die Ente zart ist, etwa
1 1/2 Stunden.
Ganz servieren und erst bei Tisch in
Scheiben schneiden.

Asiatischer Puten-Gemüse-Topf

500 g Putenbrustfilet (z. B. von der Heidemark)
190 g Mini-Maiskolben aus dem Glas • 100 g Cashewnüsse
100 g Sojabohnenkeime • 3 Stangen (150 g) Bleichsellerie
1 Packung (25 g) Mu-Err (getrocknete chinesische Pilze)
2 Möhren (150 g) • 1 rote Paprika • 200 g Brokkoliröschen
50 g Glasnudeln • Chinesisches Fünf-Gewürze-Pulver
Sojasauce • 3 EL Öl • 1/4 Liter Hühnerbrühe (instant).
Für die Marinade: 3 EL Sojasauce • 1 walnußgroßes Stück
frischer Ingwer • 1 Knoblauchzehe • 1 Prise Zucker
2 EL trockener Sherry

Putenbrustfilet in sehr dünne Scheiben schneiden und in die Marinade
einlegen. Mindestens 1 Stunde ziehen
lassen, dann gut abtropfen lassen.
Mais ebenfalls abtropfen lassen,
Bleichsellerie in schmale Scheiben
schneiden. Die Pilze ebenso wie die
Glasnudeln mit kochendem Wasser
übergießen und quellen lassen.
Möhren in schmale Stifte schneiden,
Paprika in schmale Streifen. Brokkoli
in Röschen zerteilen. Öl im Wok

erhitzen und die Putenbruststreifen
unter ständigem Rühren anbraten.
Das Gemüse, die Pilze, Nudeln und
die Nüsse dazu geben und unter
Rühren so lange braten lassen, bis
das Gemüse gar, aber noch knackig
ist. Hühnerbrühe zugießen, einmal
aufkochen lassen und mit Fünf-
Gewürze-Pulver und Sojasauce
abschmecken.
Dazu schmecken gebratene kleine
Bandnudeln.

59

Hähnchenbrust mit Brokkoli

250 g Hähnchenbrustfilet, in Scheiben geschnitten · 2 EL Öl
300 ml kaltes Wasser · 1 Fertigprodukt für China-Spezialitä-
ten · 300 g Brokkoliröschen · 2 - 3 EL Mandelblättchen

Hähnchenfleisch in heißem Öl anbraten. Wasser dazugießen und das Fertigprodukt für Chinaspezialitäten einrühren. Unter Rühren aufkochen. Brokkoli dazugeben und bei schwacher Hitze mit geschlossenem Deckel 20 Minuten garen. Zwischendurch umrühren.
Mandelblättchen goldbraun rösten und daruntermischen.

Putenröllchen
mit glasierten Kartoffeln

1 Stange Porree/Lauch (250 g) · 2 Möhren (150 g)
6 EL Sojaöl · 4 EL Zuckerrübensirup · 6 Scheiben
Putenbrustfilet (à 125 g) · 2 - 3 EL salzige Sojasauce
Pfeffer aus der Mühle · 1/8 Liter trockener Weißwein
1/2 Becher Schlagsahne (125 g) · 500 g Kartoffeln.
Außerdem: 6 Holzspießchen

Das Gemüse putzen, waschen und in ganz feine Streifen schneiden. In einem EL heißem Öl dünsten. Zum Schluß 1 EL Zuckerrübensirup hinzufügen. Alles gut mischen und etwas karamelisieren lassen. Die Fleischscheiben ausbreiten. Dünn mit etwa 1 EL Zuckerrübensirup bestreichen, mit 2 EL Sojasauce beträufeln und mit Pfeffer bestreuen.
Je 1 EL Gemüsejulienne auf das Fleisch gießen und gleichmäßig verteilen. Das Fleisch zusammenrollen. Mit Holzspießchen feststecken. Das Fleisch in 2 EL heißem Öl rundherum anbraten. Den Weißwein zugießen. Zugedeckt etwa 10 Minuten schmoren lassen. Die fertigen Fleischröllchen herausnehmen und warmstellen.
Den Fleischfond mit Sahne ablöschen, etwas einkochen lassen. Mit Sojasauce und Pfeffer abschmecken. Die Kartoffeln schälen und waschen. Mit einem Kartoffelausstecher kleine Kugeln ausstechen. 3 EL Öl in einer beschichteten Bratpfanne erhitzen. Die Kartoffeln darin unter ständigem Wenden weichbraten. Zum Schluß 2 EL Zuckerrübensirup zufügen. Die Kartoffeln bei wenig Hitze karamelisieren lassen. *Abbildung rechts*

Mit Haifischflossen gefülltes Huhn

*750 g vorbereitete Haifischflossen (etwa 185 g Trockenge-
wicht) · 1 Huhn von 1 3/4 kg Gewicht, entbeint (statt des
Huhns läßt sich auch eine entbeinte Ente verwenden.
In dem Fall sollte man statt Schweinefleisch Schinken oder
einen Schinkenknochen verwenden)
3 Frühlingszwiebeln, halbiert · 4 dicke Scheiben frischer
Ingwer, zerdrückt · 1 EL Reiswein oder trockener Sherry
6 Tassen (1/2 Liter) angereicherte Brühe · 125 g mageres
Schweinefleisch, in dünne Scheiben geschnitten (wahlweise),
oder 3 Scheiben gekochten Schinken oder 1 Schinkenknochen verwenden · 1 1/2 TL Salz · Glutamat (wahlweise)*

Die Haifischflossen abtropfen lassen und das Huhn damit füllen. Die Öffnung vernähen oder mit Zahnstochern feststecken und das Huhn in einer Kasserolle und auf den Zwiebeln und dem Ingwer anrichten. Wein und Brühe zugeben und Schweinefleisch oder Schinken (oder Schinkenknochen) darüberlegen. Salz zugeben und dicht verschließen.

Zum Kochen bringen, dann die Hitze auf kleinste Flamme reduzieren und etwa 4 Stunden simmern lassen. Den Schinkenknochen wegwerfen (falls verwendet) oder Schinken oder Schweinefleisch separat servieren (oder für andere Verwendung aufheben).

Zwiebel und Ingwer herausnehmen. Abschmecken, falls gewünscht, ein wenig Glutamat zugeben. Im Topf servieren.

Rotgesimmerte Ente

*1 Ente von 2 1/4 kg · 1 1/2 TL Salz · 4 EL roter
fermentierter Reis (oder 2 1/2 EL dunkle japanische
Miso-Paste verwenden).
Gewürze: 3 Stück Kandiszucker (oder 1 1/2 EL Zucker)
1 TL Salz · 2 Gewürzbeutel · 1 EL Reiswein
oder trockener Sherry*

Ente waschen und gut abtrocknen. Innen und außen mit Salz einreiben und 1 Stunde stehen lassen, dann abspülen und wieder abtropfen lassen. Falls verwendet, die Miso-Paste mit genug Wasser verrühren, bis sich eine glatte Creme ergibt, und diese Masse oder den roten fermentierten Reis in die Ente einreiben. Diese mit der Brustseite nach unten auf eine Bambusmatte in eine Kasserolle legen und die Gewürze zugeben. Nur soviel Wasser zugeben, daß die Ente eben bedeckt ist, dabei langsam an den Seiten des Topfes einträufeln lassen. Zudecken und zum Kochen bringen, dann die Hitze reduzieren und simmern lassen, bis die Ente völlig zart ist, etwa 2 1/2 Stunden. Während der letzten 20 Minuten des Garens Deckel abnehmen, damit die Sauce einkocht. Ente herausheben und in mundgerechte Stücke schneiden. Mit der Sauce servieren.

Gedünstetes Hühnerfleisch mit Nachthyazinthenblättern

250 g Hühnerbrust ohne Knochen · 50 Blütenblätter der Nachthyazinthe (oder Blütenblätter der weißen Chrysantheme) · 2 EL Öl zum Braten oder weiches Schweineschmalz · 1 TL ausgelassenes Hühnerfett (wahlweise).
Gewürze: *1 Eiweiß, geschlagen · 1/4 TL Salz 1/2 TL Glutamat (wahlweise) · 1 TL Maisstärke.*
Sauce: *1/2 Tasse Hühnerbrühe · 1/2 TL Reiswein oder trockener Sherry · 1/4 TL Salz · 1/2 TL Glutamat (wahlweise) · 1 TL Maisstärke*

Die Haut von der Hühnerbrust entfernen und Fleisch in dünne Scheiben schneiden, dann fein zerkleinern und mit den Gewürzzutaten verrühren. 15 Minuten stehen lassen und marinieren.
Die Nachthyazinthen- (oder Chrysanthemen-)Blätter in warmem Wasser spülen und gut abtropfen lassen.
Den Wok erhitzen und Öl oder Schweineschmalz zugeben. Die Hühnerbruststücke bei mäßiger Hitze dünsten, bis sie weiß sind, etwa 1 1/2 Minuten. Auf eine Servierplatte umfüllen. Die Blütenblätter mit etwas mehr Öl dünsten (falls notwendig), etwa 30 Sekunden, dann die vorher verrührten Saucenzutaten zugeben und zum Kochen bringen.
Falls verwendet, das ausgelassene Hühnerfett kurz vor dem Servieren zugeben.

Gedämpftes Huhn mit Pilzen

*750 g Hühnerstücke · 8 - 10 getrocknete schwarze Baumpilze,
25 Minuten eingeweicht · 3 Frühlingszwiebeln, geputzt
und in Scheiben geschnitten · 1 dicke Scheibe frischer Ingwer,
fein zerkleinert · 1 TL Maisstärke · 1 EL kaltes Wasser.
Gewürze: 1 EL helle Sojasauce · 2 TL Reiswein oder
trockener Sherry · 1/2 TL Salz · 1/4 TL Glutamat (wahlweise)
1 Messerspitze weißer Pfeffer · 1/2 TL Zucker
1/2 Tasse Hühnerbrühe oder kaltes Wasser*

Die Hühnerstücke waschen und durch die Knochen in mundgerechte Stücke schneiden. Pilze abtropfen lassen und Stiele abschneiden.

Hühnerfleisch, Pilze, Zwiebel und Ingwer auf eine Platte legen und die vorher verrührten Gewürzzutaten zugeben, dann zudecken. Über sanft kochendem Wasser auf einer Bambusmatte in einen Dämpfer stellen. Topf zudecken und 1 1/4 Stunden bei mäßiger Hitze dämpfen. Die Sauce mit der Maisstärke-Wasser-Mischung andicken und das Huhn und die Pilze in dem Gefäß servieren, in dem sie gegart worden sind.

Langsam gesimmerte Tauben

*3 junge Tauben (etwa 750 g) · 2 Gewürzbeutel
1 1/2 Tassen helle Sojasauce · 1/4 Tasse dunkle Sojasauce
1/4 Tasse Reiswein oder trockener Sherry · 1 Tasse Zucker
2 TL Sesamöl*

Die Tauben 1 Minute in kochendem Wasser blanchieren. Herausnehmen und gut abtropfen lassen. Wasser abgießen und die Tauben in den Topf zurückgeben.

Die restlichen Zutaten mit Ausnahme des Sesamöls zugeben und mit Wasser bedecken. Zum Kochen bringen, dann Hitze reduzieren und simmern lassen, bis die Tauben völlig zart sind, etwa 1 1/4 Stunden. Herausnehmen und gut abtropfen lassen. Mit Sesamöl bepinseln, halbieren oder in Viertel schneiden und auf einem frischen Salatbett servieren.

Gefüllte Putenbrust

.1 - 2 EL getrocknete chinesische Pilze
je 1 Paprikaschote rot, grün, gelb orange (à 200 g)
2 EL Mandeln, ganz • 500 g Putenbrust
(vom Metzger zu einer flachen
Scheibe schneiden lassen) • 1 Fertigpackung für
Schmorbraten • 1/2 Liter Wasser • 1 - 2 EL Öl • Salz
Pfeffer • Sojasauce • 2 - 3 EL süße Sahne
Chinagewürz-Zubereitung • Reis

Die Pilze in warmem Wasser 1/2 Stunde einweichen. Die Paprikaschote putzen, waschen und in Streifen schneiden. Etwa 50 g Paprikastreifen mit den Pilzen und Mandeln auf die Putenbrustscheibe verteilen, aufrollen und mit Küchengarn gut verschnüren. Fertigpackung für Schmorbraten in kochendes Wasser einrühren. Putenbrust dazugeben und bei schwacher Hitze 1 1/2 Stunden im geschlossenen Topf garen. Putenbrust ab und zu wenden. Restliche Paprikastreifen in heißem Öl dünsten, mit Salz, Pfeffer und Sojasauce abschmecken. Putenbrust herausnehmen und die Sauce mit Sahne und Chinagewürz-Zubereitung abschmecken. Körnig gekochten Reis dazu servieren. *Abbildung oben*

65

Fritierte Hühnerleber in würzigem Dressing

375 g frische Hühnerleber · 6 Tassen (1 1/2 Liter)
Öl zum Fritieren · 1 EL Sesamöl · 3 EL feingehackte
Frühlingszwiebel · 2 TL feingehackter frischer Ingwer
1 1/2 - 2 TL chinesische Pfeffer-Salz-Mischung.
Gewürze: 1 1/2 TL Reiswein oder trockener Sherry
1/4 TL weißer Pfeffer · 1/2 TL Glutamat (wahlweise)
2 TL Zucker · 2 TL geriebener frischer Ingwer.
Teig: 2 Eier, gut geschlagen · 3 EL Maisstärke · 3 EL Mehl

Die Hühnerleber waschen und in mundgerechte Stücke schneiden. Mit den Gewürzzutaten verrühren und 20 Minuten zum Marinieren stehen lassen. Aus Eiern, Maisstärke und Mehl einen dicken Teig kneten, etwas Wasser zugeben, gut durchkneten. Das Öl bis zum Rauchpunkt erhitzen. Hühnerleber abtropfen lassen und in den Teig tauchen, bis sie mit einer dicken Schicht bedeckt ist. Fritieren, bis sie gut gebräunt ist. Gut abtropfen lassen.

Das Öl abgießen und den Topf ausreiben. Sesamöl zugeben und erhitzen, dann die Hühnerleber in den Topf zurückgeben und Frühlingszwiebel, Ingwer und Pfeffer-Salz-Mischung zugeben.
Bei mäßiger Hitze umrühren, bis die Hühnerleber gar ist, etwa 3 Minuten. Servieren.

Ente in Suppe mit Orangengeschmack

1 Ente von 1 1/2 - 2 kg · 1 1/2 TL Salz · 2 EL Reiswein
oder trockener Sherry · 6 Tassen (1 1/2 Liter) Öl zum Fritieren
5 Tassen (1 1/4 Liter) Wasser · 6 getrocknete Orangen-
schalen · 3 Stücke frischer Ingwer · 15 g getrocknete
Holzohren oder „Schnee"-Pilze, 25 Minuten eingeweicht
weißer Pfeffer

Die Ente waschen und mit Salz und Wein einreiben. 30 Minuten stehenlassen, dann die Haut trockenreiben.

Das Fritieröl bis zum Rauchpunkt erhitzen und die Ente fritieren, bis sie sich leicht verfärbt. Herausnehmen

und gut abtropfen lassen, dann überschüssiges Öl abreiben.
Das Wasser zum Kochen bringen, Orangenschale und Ingwer zugeben. In eine Kasserolle umfüllen, die Ente in die Brühe geben, zudecken und bei sehr niedriger Hitze simmern lassen, bis das Entenfleisch zart ist, etwa

1 1/2 Stunden. Pilze abtropfen lassen und in mundgerechte Stücke schneiden. Während der letzten 25 Minuten des Garens die Pilzstücke in den Topf geben.
Abschmecken und eine Messerspitze weißen Pfeffer zugeben. In der Kasserolle servieren.

Getrocknete Austern und Huhn in Suppe

500 g Hühnerfleischstücke · 125 g getrocknete Austern, über Nacht eingeweicht (man kann auch frische Austern verwenden. Etwa 250 g ganze frische Austern, aus der Schale gelöst und in salzigem Wasser gründlich gespült, anschließend in kaltem Wasser nochmals gut gespült.) 1 EL Salz 1 Scheibe chinesischer oder geräucherter Schinken, kleingeschnitten · 2 Frühlingszwiebeln, geputzt und in Scheiben geschnitten 3 Scheiben frischer Ingwer 6 Tassen (1 1/2 Liter) Hühnerbrühe · 1 EL Reiswein oder trockener Sherry · 1 1/4 TL Salz 1 TL Glutamat (wahlweise)

Das Hühnerfleisch durch die Knochen in 2,5 cm große Stücke schneiden und 2 Minuten in kochendem Wasser blanchieren. Abtropfen lassen und in kaltem Wasser abspülen.
Die eingeweichten Austern abtropfen lassen, mit 1 EL Salz einreiben, dann gründlich in kaltem Wasser spülen. Etwa 40 Minuten dämpfen, bis sie zart sind, dann würfeln.

Das Hühnerfleisch, den Schinken, den Ingwer und die Zwiebeln in einem Topf anrichten und Hühnerbrühe, Wein und Salz zugeben.
Zum Kochen bringen und bei sehr schwacher Hitze 3 Stunden simmern lassen. Austern zugeben und eventuell mit Glutamat würzen.
Zwiebel und Ingwer vor dem Servieren herausnehmen.

Hähnchen süß-sauer

Für die Mikrowelle

*4 Hähnchenfilets (400 g) · 5 EL Sojasauce · 1 kleine Dose
Ananas (400 g) · 1 Zwiebel · 1 Stange Lauch · 200 g kleine
Tomaten · 1 Knoblauchzehe · 2 TL Speisestärke
2 EL gehackte Erdnüsse*

Die Hähnchenfilets in Würfel schneiden, in 3 EL Sojasauce und 2 EL Ananasflüssigkeit 1 Stunde marinieren. Zwiebel würfeln, Lauch in Ringe schneiden, Tomaten häuten und achteln, Knoblauch schälen und durch die Presse drücken, Ananas abtropfen lassen. Außer den Ananasstücken alles in eine mikrowellenfeste Form geben (inklusive der Marinierflüssigkeit). Bei 600 Watt abgedeckt 6 Minuten garen. Ananas zugeben und einmal umrühren, weitere 6 Minuten garen. 2 EL Sojasauce mit der Stärke verrühren, dazugeben, noch 2 Minuten fertiggaren. (Wenn die Soße zu wenig ist, noch etwas Ananasflüssigkeit zugeben.) Mit Salz, Pfeffer und eventuell Zucker abschmecken. Mit Reis servieren. *Abbildung rechts*

Geröstete Ente
in Scheiben mit Brokkoli

*1/2 kalte geröstete Ente · 500 g frischer Brokkoli, in
Röschen zerzupft · 2 Frühlingszwiebeln, geputzt und in
Scheiben geschnitten · 1/3 Tasse Öl zum Braten oder
weiches Schweineschmalz · 2 Scheiben frischer Ingwer,
kleingeschnitten · 1/2 TL Weißweinessig (wahlweise)
1/2 TL Sesamöl (wahlweise).
Gewürze: 1/2 TL Salz · 3/4 TL Glutamat (wahlweise) · 3/4 TL
Zucker · 1 EL helle Sojasauce · 2 TL Reiswein oder trockener
Sherry · 1/3 Tasse Hühnerbrühe · 3/4 Tasse Maisstärke*

Die Ente entbeinen und in mundgerechte Stücke schneiden. Mit dem Öl oder Schweineschmalz in einem Wok leicht bräunen, dann Brokkoli und Frühlingszwiebeln zugeben und weitere 3 Minuten unter ständigem Umrühren braten. Den Ingwer und die Gewürzzutaten zugeben und zum Kochen bringen. Umrühren, bis alles andickt. Falls verwendet, Sesamöl und Essig zugeben und auf eine Servierplatte umfüllen.

Pfannengerührte Hähnchenfilets

Besonders kalorienarmes Rezept

*4 Hähnchenfilets (etwa 400 g) • 2 EL getrockneter Mu-Err
(asiatischer Pilz) • 1 EL Sesamöl • 1 Zwiebel • 1 Möhre
1 Stange Lauch • 100 g Zuckererbsen • 50 g Bohnensprossen • 4 - 5 große Chinakohlblätter.*
Für die Marinade: *1 EL gehackter frischer Ingwer • 2 TL gehackter frischer Knoblauch • 2 EL Sojasauce, salzig
2 EL Reiswein oder trockener Sherry • 1 TL Fünf-
Gewürze-Pulver*

Hähnchenfleisch in Streifen schneiden und 1 Stunde in der Marinade
einlegen. Mu-Err mit kochendem
Wasser übergießen und 1/2 Stunde
quellen lassen. Zwiebel fein würfeln,
Möhren, Lauch und Chinakohlblätter
in Streifen schneiden. Hähnchenfleisch aus der Marinade nehmen,
Pilze aus dem Einweichwasser und
beides getrennt abtropfen lassen.

Sesamöl in einem Wok oder in einer
großen Pfanne heiß werden lassen
und die Filetstreifen unter Rühren
braten, dann aus der Pfanne nehmen.
Zunächst die abgetropften Pilze, dann
das Gemüse nach und nach zugeben
und unter Rühren garen. Marinade
und gebratenes Hähnchenfleisch
zugeben, mit Sojasauce und Salz
abschmecken. Dazu paßt Reis.

Abbildung unten

Bunte Spinatpfanne

400 g Putenschnitzel oder Hähnchenfleisch
2 EL Öl •100 g Frühlingszwiebeln • 300 g Spinat
50 g Cashewkerne • Salz • Pfeffer

Putenschnitzel oder Hähnchenfleisch in dünne Scheibchen schneiden, in eine Schüssel geben und mit dem Öl vermischen.

Frühlingszwiebeln putzen, waschen und in kleine Ringe schneiden.

Spinat verlesen und waschen.

Wok auf höchster Stufe etwa 1 - 2 Minuten aufheizen. Fleisch in den Wok einlegen und anbraten. Hitze etwas zurückschalten.

Frühlingszwiebeln in die Wok-Mitte geben und andünsten. Spinat und Cashewkerne dazugeben und mit Salz und Pfeffer würzen. Alles gut vermischen und abschmecken.

Abbildung oben

Glasiertes Hähnchen „Peking" mit süß-saurer Pflaumensauce

1 Hähnchen (1 200 g) · 1 EL Honig · 2 EL heißes Wasser
5 EL Reiswein oder trockener Sherry · 2 EL Zitronensaft
2 TL Speisestärke · 1/2 TL Sesamöl.
Sauce: 4 Trockenpflaumen ohne Stein · 4 getrocknete
Aprikosen · 1 kleines Stück frischer Ingwer · 1 EL Rosinen
3 EL Sojasauce · 2 EL Sherry · 1 TL Zucker · 3 TL Essig
1/8 Liter Wasser · 1/2 TL Speisestärke · Chilipulver

Für die Glasur den Honig in dem heißen Wasser auflösen und die anderen Zutaten unterrühren. Das Hähnchen mit der Glasur einpinseln, etwas einziehen lassen, das Ganze 4 - 5 mal wiederholen.

Das Hähnchen im vorgeheizten Backofen bei 170 Grad C etwa 60 Minuten auf einem Rost braten, bis es rundherum knusprig braun ist. Während des Garens immer wieder mit der Glasur bestreichen.

Für die Sauce die Trockenfrüchte und den Ingwer sehr klein schneiden und mit den anderen Zutaten, bis auf die Stärke, aufkochen lassen. Die mit etwas kaltem Wasser angerührte Stärke hinzugeben und nochmals kurz aufkochen lassen. Die Sauce nach Geschmack mit etwas Chili abschmecken. Sauce erkalten lassen und zum Hähnchen servieren.

Dazu schmecken dünn ausgebackene Pfannkuchen.

NUDELN UND REIS

Bunter Reistopf

2 Tassen roher weißer Rundkornreis
45 g getrocknete Garnelen, 1 Stunde eingeweicht
3 getrocknete schwarze Pilze, 25 Minuten
eingeweicht · 1 mittelgroße Karotte · 45 g Bambussprossen
aus der Dose, abgetropft · 125 g frische oder
tiefgefrorene Erbsen · 125 g Schweinebraten, gewürfelt
3 EL feingehackte Frühlingszwiebel · 1/3 Tasse
Öl zum Braten · 3 Tassen Wasser.
Gewürze: 1 1/2 TL helle Sojasauce · 1 1/4 TL Salz
1 TL Glutamat (wahlweise) · 1 TL Zucker · 1/4 TL gemahlener
schwarzer Pfeffer · 1/2 TL Sesamöl

Den Reis gründlich waschen und abtropfen lassen. Die Garnelen abtropfen lassen und die größeren halbieren. Die Pilze und die Bambussprossen in feine Würfel schneiden. Die Karotten und Erbsen kurz aufkochen und gut abtropfen lassen. Das Öl in einem Wok erhitzen und das gewürfelte Fleisch mit der Frühlingszwiebel 45 Sekunden pfannenrühren. Die Garnelen, Pilze, die Karotte, Bambussprossen und Erbsen zugeben und 2 Minuten pfannenrühren.

Die Gewürzzutaten und den abgetropften Reis sowie das Wasser zugeben und gründlich vermischen. Zum Kochen bringen, den Wok fest mit dem Deckel zudecken und die Hitze auf sehr niedrige Stufe stellen. Etwa 15 Minuten braucht der Reis zum Garen.

Das Ganze mit einem Eßstäbchen etwas auflockern und servieren.

Temaki-Sushi mit Garnelen oder Rinderfilet

250 g Rund- oder Mittelkornreis
375 ml Wasser • 3 EL Reisessig (oder Apfelessig)
1 TL Zucker • 1/2 TL Salz.
Für die Garnelen-Sushi: *1/2 Salatgurke • 1 große Möhre*
150 g Rettich • 24 mittelgroße Shrimps • 8 Blätter
Nori (getrockneter, gerösteter Seetang) • 2 TL Wasabi
(grüner Meerrettich, aus Pulver angerührt oder
als Paste; er ist sehr scharf).
Für die Rinderfilet-Sushi: *200 g Rinderfilet • 2 EL Zitronensaft*
schwarzer Pfeffer • 1 reife Avocado • 1 kleine Zucchini
150 g Rettich • 1 - 2 TL Wasabi (siehe oben)
8 Blätter Nori (siehe oben).
Zum Dippen: *etwa 100 ml Sojasauce*

Für die Sushi den Reis in einem Sieb waschen, abtropfen lassen. Mit Wasser in einem Topf langsam zum Kochen bringen. Etwa 2 Minuten sprudelnd kochen lassen, die Hitze reduzieren und den Reis zugedeckt 20 Minuten ausquellen lassen. Die Hitze ausschalten, den Deckel abnehmen. Ein sauberes Küchentuch auf den Topf geben, den Deckel wieder auflegen, den Reis weitere 10 Minuten quellen lassen. Inzwischen in einem kleinen Topf den Essig mit Zucker und Salz leicht erwärmen und verrühren, den Zucker auflösen. Den Reis in eine breite Schüssel umfüllen, sofort mit der Essigmischung vorsichtig vermengen, auf Zimmertemperatur abkühlen, mit einem feuchten Tuch abdecken.

Für die Garnelen-Sushi die Gurke, die Möhre und den Rettich waschen, schälen, in etwa 7 cm lange und 1/2 cm breite Stifte schneiden. Die Möhrenstifte in kochendem Wasser blanchieren.

Die Nori-Blätter zu Quadraten von etwa 12 cm Seitenlänge schneiden, jeweils ein Nori-Blatt mit einer Spitze nach unten auf die linke Handfläche legen, etwa 1 leicht gehäuften EL Reis, 3 Shrimps, einige Gurken-, Möhren- und Rettichstreifen darauf geben, mit wenig Wasabi würzen. Das Nori-Blatt zu einer Tüte zusammenrollen.

Für die Rinderfilet-Sushi das Filet in hauchdünne Scheiben schneiden, mit einem breiten Messer flachstreichen. Die Filetscheiben quer halbieren, Pfeffer aus der Mühle darüber geben, dünn mit Wasabi bestreichen. Die Avocado halbieren, entsteinen und schälen, in schmale, dünne Streifen schneiden, sofort mit 2 EL Zitronensaft beträufeln.

Die Zucchini waschen, den Rettich waschen und schälen, beides in schmale, dünne Streifen schneiden.

Tüten wie bei den Garnelen-Sushi rollen und die Sushi vor jedem Biß in die japanische Sojasauce dippen.

Abbildung oben

Curry-Reistopf mit Ananas

500 g Lammfleisch · 1 Zwiebel · 2 EL Currypulver
2 - 3 EL Öl · 250 g Langkornreis · 1 Liter Wasser · 3 EL fertige
Gemüsebouillon · 450 g Spinat oder 300 g tiefgefrorener
Blattspinat · 1/2 frische Ananas oder Ananas aus der Dose
weißer Pfeffer · Salz (wahlweise)

Lammfleisch in Würfel schneiden. Zwiebel schälen und feinhacken. Fleisch und Zwiebel mit dem Curry in heißem Keimöl anbraten. Reis hinzufügen, Wasser dazugießen, aufkochen und Gemüsebouillon einstreuen. Reis zugedeckt bei schwacher Hitze 15 Minuten quellen lassen. Spinat putzen, waschen, tiefgefrorenen Spinat auftauen lassen. Spinat unter den Reis mischen und weitere 5 Minuten garen. Ananas schälen, Strunk entfernen und in kleine Stücke schneiden. Ananas zum Reistopf geben und darin erwärmen. Curry-Reistopf mit Pfeffer und Salz (wahlweise) abschmecken.

Nudeln „Mien Sien" mit Schweinebraten und Gemüse

*500 g „Mien Sien" oder dünne Eiernudeln
500 g Schweinebraten · 375 g „Choy Sum" oder Brokkoli-
Röschen · 6 Tassen (1 1/2 Liter) Hühnerbrühe · 2 TL Salz
1 EL Reiswein oder trockener Sherry · 2 EL helle Sojasauce
2 Scheiben frischer Ingwer, in feine Streifen geschnitten ·
2 Frühlingszwiebeln, in feine Streifen geschnitten*

Einen Topf mit Wasser zum Kochen bringen und die Nudeln hineingeben. Die Nudeln bei schwacher Hitze garen, dann gründlich abtropfen lassen und auf 6 - 8 große Suppenschalen aufteilen.

Den Schweinebraten in dünne Scheiben, dann in 5 cm breite Quadrate schneiden. Das Gemüse waschen, die „Choy Sum"-Stiele in 5 cm lange Stücke schneiden. Die

Hühnerbrühe zum Kochen bringen und Salz und Reiswein zugeben. Das Gemüse zugeben und in der Brühe garen, dann die Sojasauce, die Bratenscheiben, den Ingwer und die Frühlingszwiebeln zugeben und 4 Minuten schwach kochen lassen. Das Fleisch und das Gemüse herausnehmen und auf die Suppenschalen verteilen, dann die Brühe darübergießen. Heiß servieren.

Nudeln im Feuertopf

*7 Tassen Hühnerbrühe · 3 Scheiben frische Ingwerwurzel
1 1/2 TL Salz · 1 TL Zucker · 2 TL chinesischer brauner
oder weißer Essig · 185 g Schweinefilet · 185 g weißes Fischfilet · 185 g rohe Garnelen ohne Schalen · 185 g frischer,
gesäuberter Tintenfisch oder Hühnerbrust · 1 kg frische dicke
Eiernudeln, blanchiert und abgetropft.
Saucen: helle Sojasauce · Chilisauce · Essig-Chili-Tunke
(siehe Ausführungen unten)*

Besondere Ausrüstung: Ein Feuertopf oder eine Gas- oder Elektroplatte für den Tisch und ein großer Schmortopf. Die Hühnerbrühe zum Kochen

bringen und Ingwer, Salz, Zucker und Essig zufügen. In den Schmortopf gießen und warmhalten.
Die Fleisch- und Fischsorten in sehr

dünne Scheiben schneiden und auf verschiedenen Tellern bereitstellen. Die Nudeln in eine hohe Schüssel geben. Mehrere kleine Schälchen mit Soja- und Chilisauce vorbereiten. Für die Essig-Chili-Tunke 2 - 3 in dünne Scheiben geschnittene frische rote Chilischoten mit weißem Essig und etwas Salatöl vermischen und mit Zucker und Salz abschmecken. In verschiedene kleine Schälchen gießen. Die Brühe auf dem Tisch wieder zum Kochen bringen. Mit Hilfe von Holz- oder Bambusstäbchen die Fleischstückchen und Nudeln in die Brühe geben und einige Minuten darin sieden lassen.

In großen Suppenschalen servieren und eine Mischung der Saucen je nach Geschmack zufügen.

Nudeln „Shanghai" mit Bohnensprossen und brauner Sauce

500 g frische dicke Eiernudeln (oder gekochte Spaghetti) · 1 1/2 TL Salz · 125 g frische Bohnensprossen 8 Stengel Knoblauchgrün (junger Knoblauch) 1/3 Tasse Öl zum Braten · 2 TL Sesamöl. Gewürze/Sauce: 3/4 Tasse Hühnerbrühe · 2 EL helle Sojasauce · 1 EL dunkle Soja- oder Austernsauce · 1 TL Reiswein oder trockener Sherry · 2 TL Sesamöl (wahlweise) 1/4 TL zerdrückter Knoblauch · 3/4 TL Salz 1/2 TL Glutamat (wahlweise) · 1/4 TL gemahlener schwarzer Pfeffer · 1 TL Maisstärke

Die frischen Nudeln in viel kochendem Salzwasser 2 Minuten kochen. Bei Verwendung von abgekochten Spaghetti diese abtropfen lassen. Von den Bohnensprossen die Wurzeln und Hülsen entfernen. Die jungen Knoblauchstengel kleinschneiden. Das Öl in einem großen Wok erhitzen und die Bohnensprossen mit dem Knoblauchgrün zugeben. Leicht pfannenrühren, dann die Gewürzzutaten für die Sauce zugeben und aufkochen. Die Nudeln zugeben und bei mittlerer Hitze vorsichtig rühren, bis die Nudeln die Flüssigkeit ganz aufgenommen haben. Heiß servieren.

GEMÜSE

Winterbambussprossen in Huhn-Öl-Sauce

315 g Winterbambussprossen aus der Dose, abgetropft ·1 Tasse Öl zum Braten · 60 g frischer Spinat · Senfgrün oder Brunnenkresse, feingehackt · 2 EL ausgelassenes Hühnerfett 30 g chinesischer oder geräucherter Schinken, kleingeschnitten.
Gewürze/Sauce: *3/4 Tasse Hühnerbrühe · 1/2 Tasse Reiswein oder trockener Sherry · 1/2 TL Salz 1/4 TL Glutamat (wahlweise) · 1/2 TL Zucker 3/4 TL Maisstärke*

Die Bambussprossen in dünne Scheiben schneiden. Das Fritieröl in einem Wok erwärmen und die Bambussprossen 2 Minuten lang sanft garen. Herausnehmen und abtropfen lassen. Das grüne Gemüse gründlich waschen und soviel Wasser wie möglich herausdrücken. Alles Öl bis auf 2 EL aus dem Wok abgießen, auf mäßige Hitze bringen und das kleingeschnittene Gemüse 1 Minute andünsten. Die Bambussprossen zurückgeben und die vorher vermengten Gewürze/Saucenzutaten zugeben. Zum Kochen bringen und unter Umrühren garen, bis die Sauce andickt. Das Hühnerfett einrühren und erhitzen. Auf eine Servierplatte umfüllen und mit dem kleingeschnittenen Schinken garnieren.

Gemüsepfanne

2 Möhren · 1 grüne Paprikaschote
1 Fenchelknolle
2 EL Öl · 3/8 Liter Wasser
1 Fertigprodukt für China-Pfanne · Reis

Möhren und Paprikaschote putzen, waschen und in schmale Streifen schneiden.

In einem Wok oder einer Pfanne das Öl heiß werden lassen, das Gemüse portionsweise anbraten und herausnehmen. Wasser zufügen. Das Fertigprodukt einrühren, zum Kochen bringen und zugedeckt etwa 10 Minuten kochen, dabei gelegentlich umrühren. Das Gemüse dazugeben und heiß werden lassen. Körnig gekochten Reis dazu servieren.

Abbildung unten

79

Kalter marinierter Koriander

500 g frischer Koriander
1/2 Tasse geschälte geröstete Erdnüsse.
Dressing: *1/2 TL Salz · 1 EL Zucker · 1 1/4 TL Weißwein-*
essig · 1/4 Tasse helle Sojasauce · 1 EL Sesamöl · 1 EL Pflan-
zenöl oder Öl zum Braten · 1 TL zerstoßener Knoblauch

Koriander gründlich waschen und die Stiele entfernen. In einen Topf mit kochendem Wasser geben und 1 1/4 Minute pochieren. Herausnehmen und gut abtropfen lassen. Wenn der Koriander abgekühlt ist, soviel Wasser wie möglich herausdrücken. Grob hacken und in eine Salatschüssel geben. Erdnüsse grob hacken oder ganz lassen, je nach Geschmack. Dem Koriander zugeben. Die Dressing-Zutaten verrühren, dabei umrühren, bis sich der Zucker auflöst. Den Salat damit übergießen, leicht wenden und verrühren und vor dem Servieren in den Kühlschrank stellen. Als Beilage zu Vorspeisen oder einem Hauptgang servieren.

Sellerie mit getrockneten Shrimps

250 g frische junge Staudensellerie · 45 g getrocknete
Shrimps · 2 EL Schao Hsing oder anderer gelber
Wein (Weinbrand oder japanischer Sake läßt sich
gleichfalls verwenden).
Gewürze: *1 1/2 EL Sesamöl · 1 1/2 TL braune*
chinesische Pfefferkörner · 3/4 TL Salz
1/4 TL Glutamat (wahlweise)

Den Sellerie in 5 cm lange Stücke schneiden, dann jedes Stück längs in 2 oder 3 Streifen schneiden. In kochendem Wasser blanchieren, bis er gerade weich ist, etwa 2 1/2 Minuten. Gründlich abtropfen und abkühlen lassen.
Die getrockneten Shrimps im Wein einweichen. Abtropfen lassen, Wein aufbewahren. Das Sesamöl bis zum Rauchpunkt erhitzen, die Pfefferkörner zugeben und vom Feuer nehmen. Stehen lassen, bis die Pfefferkörner abgekühlt sind, dann das Öl durchseihen und die Pfefferkörner wegwerfen.
Salz, Glutamat und etwas von dem Wein zugeben und den Sellerie damit übergießen, dann die Shrimps zugeben und das Ganze leicht vermengen. Kalt als Gemüse oder Beilage servieren.

Feingehackte Erbsensprossen mit Hühnerfleisch

500 g süße Erbsensprossen (oder Spinat oder Brunnenkresse) · 155 g Hühnerfleisch ohne Knochen, gehackt
60 g Schweinefett, gehackt · 1/3 Tasse Öl zum Braten oder weiches Schweineschmalz.
Gewürze A: 1 Eiweiß, geschlagen · 1/2 TL Salz
1/2 TL Glutamat (wahlweise) · 1 EL Zwiebel-Ingwer-Lösung
2 TL Reiswein oder trockener Sherry · 1 EL Maisstärke
3/4 Tasse Hühnerbrühe.
Gewürze B: 3/4 TL Salz · 1/4 TL Glutamat (wahlweise)
1/2 TL Zucker · 1/3 Tasse Hühnerbrühe · 3/4 TL Maisstärke

Die Erbsensprossen oder das andere Gemüse waschen und feinhacken. Das Hühnerfleisch und das Schweinefett mit den Gewürzen A vermengen und zu einer glatten und cremigen Paste verrühren.

Die Hälfte des Öls oder des Schweineschmalzes in einem Wok erhitzen und die Huhn-Mischung behutsam andünsten, bis sie weiß wird. Auf eine Seite einer vorgewärmten Anrichteplatte geben. Warmstellen.

Das restliche Öl in den Wok geben und das Gemüse 5 Minuten behutsam dünsten, Gewürze B nach den ersten 2 Minuten zugeben. Auf die andere Seite der Platte geben und servieren.

Tomaten in cremiger Sauce

500 g feste reife Tomaten (Fleischtomaten)
1 EL Maisstärke · 1/4 Tasse frische Milch · 2 TL ausgelassenes Hühnerfett.
Gewürze: 3/4 TL Salz · 1/2 TL Glutamat (wahlweise)
2 TL Reiswein oder trockener Sherry · 3/4 TL Zucker
1/2 Tasse Hühnerbrühe

Die Tomaten 8 Sekunden in kochendem Wasser brühen, abtropfen lassen und schälen. Vierteln.

Mit den Gewürzen in einem Wok simmern lassen, bis sie weich werden, etwa 4 Minuten, dann die Sauce mit einer Mischung aus Maisstärke und Milch andicken.

Falls gewünscht, Hühnerfett zugeben und servieren.

Fritierte Tofubällchen mit Zucchini

400 g Tofu (Sojabohnenquark aus dem Reformhaus)
1 Bund Schnittlauch · 4 TL salzige Sojasauce
2 EL Paprikamark ·1 durchgepreßte Knoblauchzehe · Pfeffer
aus der Mühle · 3 Spritzer Tabasco · 1/2 TL Sambal Oelek
2 Eigelb · 3 EL Zuckerrübensirup · 3 EL Semmelbrösel
3 EL Gomasio (gerösteter Sesam aus dem Reformhaus)
Pflanzenöl zum Fritieren · 500 g Zucchini · 2 EL Sojaöl

Den Tofu mit einer Gabel zerdrücken. Schnittlauch in Röllchen schneiden. Masse mit 1 TL Sojasauce, dem Paprikamark, der Knoblauchzehe, Pfeffer, Tabasco und Sambal Oelek kräftig abschmecken. Schnittlauchröllchen zufügen. Alles gut verkneten. Mit nassen Händen etwa 12 Bällchen daraus formen.
Eigelb mit 2 TL Sojasauce und 1 TL Zuckerrübensirup verquirlen. Semmelbrösel und Gomasio mischen. Tofubällchen erst in Eigelb wenden, dann in Semmelbröselmischung panieren. In reichlich heißem Öl etwa 4 Minuten fritieren. (Die Bällchen sind gar, wenn sie an der Fettoberfläche schwimmen.) Fertige Tofubällchen mit einer Schaumkelle herausheben, auf Haushaltspapier abtropfen lassen und warmstellen.
Zucchini putzen, waschen und in Scheiben schneiden. In heißem Öl gardünsten. Restlichen Zuckerrübensirup zum Schluß zufügen. Zucchinischeiben darin wenden.
Mit 1 TL Sojasauce und Pfeffer würzen. *Abbildung rechts*

Salat mit Austernsauce

1 großer grüner Salatkopf · 1 1/2 EL Öl zum Braten
1/2 TL Salz · 2 1/2 EL Austernsauce (mit sehr
reichhaltigem Aroma)

Den Salat gründlich waschen und die Blätter abtrennen. Eine große Kasserolle mit Wasser zum Kochen bringen und Öl und Salz zugeben. Die Salatblätter hineingeben und in etwa 1 1/2 Minuten bei schwacher Hitze garen. Gründlich abtropfen lassen und auf einer Servierplatte anrichten.
Die Austernsauce gleichmäßig über die Salatblätter gießen und sofort servieren.

Gemischtes eingelegtes Gemüse

500 g Chinakohl oder Weißkohl · 500 g Karotten, geschabt
500 g Rüben, geschält, oder weiße Rettiche.
Einlegeflüssigkeit: *10 Tassen Wasser · 3/4 Tasse Salz*
1/4 Tasse Reiswein oder trockener Sherry · 1 EL chinesische
braune Pfefferkörner · 1/4 Tasse feingehackter frischer
Ingwer · 1/4 Tasse feingehackte frische rote Chilischoten

Den Kohl in 2,5 cm breite Quadrate schneiden und gründlich waschen. Die Karotten und Rüben oder Rettiche in 1,25 cm dicke Würfel schneiden und ebenfalls gründlich waschen. In einer großen Glasschüssel die Einlegeflüssigkeit verrühren und das gut abgetropfte Gemüse hineingeben. Darüber einen Teller legen, der etwas beschwert wird, damit das Gemüse vollkommen von der Flüssigkeit bedeckt bleibt. 3 - 4 Tage stehen lassen. Die Einlegeflüssigkeit kann erneut verwendet werden, es muß nur jedesmal wieder Salz zugefügt werden. Eingelegtes Gemüse kann bis zu 2 Wochen im Kühlschrank aufbewahrt werden, wenn es mit einer Plastikfolie abgedeckt wird.

Gewürzkohl

500 g Chinakohl (oder Weißkohl) · 1 EL Salz
1 Stück frischer Ingwer, 4 cm · 2 1/2 EL Öl
1/4 Tasse chinesischer brauner Essig · 1 EL Zucker
1 TL Chiliöl oder Chiliflocken, in Öl eingeweicht

Den Kohl gründlich waschen und die Blätter abtrennen. In 5 cm breite Quadrate schneiden und in eine Glasschüssel geben, das Salz zugeben und vorsichtig mit dem Kohl vermischen. Dann die Schüssel mit einer Plastikfolie abdecken und 4 Stunden stehenlassen. Den Ingwer enthäuten, in feine Streifen schneiden und zum Kohl geben. Das Öl erwärmen und die restlichen Zutaten unterrühren, über den Kohl gießen, gründlich untermischen und weitere 4 Stunden stehen lassen. Gewürzkohl kann als Beilage zu vielen Gerichten gereicht werden. Er hält sich im Kühlschrank bis zu einer Woche, wenn er in einer Plastikdose verschlossen wird oder fest mit einer Plastikfolie abgedeckt wird.

Junger Salat mit Krebsfleisch und Rogen

2 frische junge Salatköpfe (römischer Salat)
1 1/2 EL Öl zum Braten · 2 EL Schmalz · 75 g frisches Krebs-
fleisch mit Rogen · 1 EL feingehackte Frühlingszwiebel
1/4 TL geriebener frischer Ingwer · Maismehl (Maisstärke)
1 EL ausgelassenes Hühnerfett (wahlweise).
Gewürze/Sauce: 3/4 TL Salz · 1/4 TL Glutamat (wahlweise)
1/4 TL gemahlener schwarzer Pfeffer · 2 TL Reiswein oder
trockener Sherry · 3/4 Tasse Hühnerbrühe

Den Salat gründlich waschen und in je drei Teile schneiden, und zwar von unten nach oben der Länge nach, so daß die Blätter mit dem Stielansatz verbunden bleiben. In kochendem Wasser, dem das Öl zugesetzt wurde, 1 1/2 Minuten blanchieren, dann abtropfen lassen und auf einer Servierplatte anrichten.
Das Schmalz in einem Wok erhitzen und das Krebsfleisch mit dem Rogen 30 Sekunden darin schwenken, dann die Frühlingszwiebeln mit dem Ingwer zugeben und kurz mitdünsten.
Die Zutaten für die Sauce zufügen und aufkochen. 1 Minute köcheln, dann mit angerührtem Maismehl andicken.
Die Sauce über den Salat gießen und das ausgelassene Hühnerfett (falls verwendet) darüberträufeln. Sofort servieren.

Bleichsellerie mit cremiger Senfsauce

3 Stiele frischer Bleichsellerie · 1/2 TL Salz.
Sauce: 1/2 Tasse Hühnerbrühe oder Wasser · 1 EL Kon-
densmilch · 2 EL pflanzliches Öl · 1 - 1 1/2 TL scharfes Senf-
pulver · 1/2 TL Salz · 1/2 TL Zucker · 1 1/4 TL Maisstärke

Den Sellerie putzen und in 4 cm lange Stücke, dann jedes Stück der Länge nach in 2 oder 3 Streifen schneiden. In kochendem Salzwasser 1 Minute blanchieren, dann abtropfen lassen und mit kaltem Wasser abschrecken. Wieder gründlich abtropfen lassen und auf einer Servierplatte anrichten.
Die Saucenzutaten gut miteinander vermengen, in einen Wok geben und zum Kochen bringen. Weiterköcheln bis die Sauce angedickt ist, dann über den Sellerie gießen und sofort servieren.

Spinat in Teigmantel

500 g frischer Spinat · 8 Eiweiß · 1/2 TL Salz · 2 EL Mehl
1 EL Maisstärke · 6 Tassen (1 1/2 Liter) Öl zum Fritieren
Chinesische Pfeffer-Salz-Mischung

Den Spinat gründlich waschen und soviel Wasser wie möglich ausdrükken. Auf Küchentüchern ausbreiten und trocknen lassen, dann in etwa 5 cm lange Stücke schneiden. Die Eiweiß steifschlagen und behutsam Salz, Mehl und Maisstärke unterziehen. Das Fritieröl mäßig erhitzen. Kleine Spinatbündel in den Eierteig tauchen, bis sie dick bedeckt sind.
Fritieren, bis sie goldbraun und gar sind. etwa 2 1/2 Minuten. Gut abtropfen lassen und vor dem Servieren großzügig mit Pfeffer-Salz-Mischung bestreuen.

Gedämpfter Spargel auf Eipudding

315 g ganzer Stangenspargel aus der Dose,
abgetropft · 8 Eier · 1 EL kleingeschnittener
gekochter Schinken.
Gewürze: 3/4 TL Salz · 1/2 TL Glutamat (wahlweise)
2 EL Hühnerbrühe.
Sauce: 3/4 Tasse Hühnerbrühe · 1/2 TL Reiswein oder
trockener Sherry · 1/4 TL Salz · 1/4 TL Glutamat
(wahlweise) · 1/2 TL Maisstärke

Die Spargel 10 Minuten in kaltem Wasser einweichen. Gut abtropfen lassen. 3 Eigelb weggießen und die restlichen Eigelb und Eiweiß zusammen schlagen und die Gewürze zugeben.
In einen eingeölten Topf geben und auf einer Bambusmatte in einen Dämpfer stellen. 10 Minuten über kochendem Wasser dämpfen. Die gut abgetropften Spargel darauflegen und einige weitere Minuten dämpfen, bis alles fest ist.
In einem Wok oder einem Topf die Saucenzutaten zusammen kochen, bis die Sauce andickt. Das Gericht damit übergießen und mit dem Schinken garnieren.

Chinapfanne mit Pilzen

1 Bund Frühlingszwiebeln • 1 rote Paprikaschote
400 g Austernpilze • 2 EL Öl • knapp 3/8 Liter Wasser
1 Fertigprodukt für China-Pfanne
Sojasauce (wahlweise)

Frühlingszwiebeln putzen, waschen und in 5 cm lange Stücke schneiden. Paprikaschote waschen, halbieren, Kerne und weiße Innenhäute entfernen. In Würfel schneiden. Austernpilze putzen und in große Stücke schneiden. Nacheinander unter Rühren in dem Öl anbraten. Aus der Pfanne nehmen. Wasser in die Pfanne gießen und das Fertigprodukt einrühren, aufkochen. Das Gemüse zufügen und zugedeckt etwa 10 Minuten bei geringer Wärmezufuhr kochen. Falls verwendet, mit Sojasauce würzen und abschmecken. Zu Reis, Nudeln oder Baguette servieren.

Abbildung oben

DESSERTS

❖

„Lachende Münder"

12 Stück

1 Tasse Mehl • 1 1/4 TL Backpulver • 2 EL feiner Zucker
1/4 Tasse Wasser • 1 TL Schmalz, zerlassen • 2 EL weiße
Sesamkörner • 5 Tassen (1 1/4 Liter) Fritieröl

Das Mehl mit dem Backpulver in eine Rührschale sieben und Zucker und Schmalz zugeben. Leicht hineinarbeiten, dann allmählich das Wasser zugeben, so daß ein weicher Teig entsteht. Vorsichtig kneten, bis er ganz glatt ist. Den Teig zu einem Strang ausrollen und in 12 Stücke teilen. Jedes Stück zu einer Kugel rollen. Alle Kugeln mit Wasser bestreichen und mit den Sesamkörnern überziehen. Zwischen den Händen rollen, damit die Körner fest angedrückt werden.

Das Fritieröl auf mittlere Hitze bringen und die Bällchen zu jeweils mehreren Stück etwa 8 Minuten backen, bis sie goldgelb und schön aufgegangen sind. Wenn die Bällchen nicht innerhalb der ersten 3 - 4 Sekunden an die Oberfläche kommen, ist das Öl nicht heiß genug.
Um einen besonderen Geschmack zu erzielen, kann man in die Teigstücke eine kleine Kugel süße Lotoskern- oder rote Bohnenpaste hineindrücken. Ansonsten wie oben beschrieben backen. Heiß oder kalt servieren.

Mandelgelee mit frischen Früchten

*2/3 Tasse kochendes Wasser · 1 1/3 EL Gelatine, nicht
aromatisiert · 1 1/2 Tassen lauwarmes Wasser oder Milch
1/3 Tasse Kondensmilch oder frische Sahne
2 TL Mandelessenz · 250 g gewürfelte frische Früchte, gekühlt
1/3 Tasse Saft eingemachter Früchte oder Zuckersirup*

Das kochende Wasser mit der Gelatine verrühren, bis sie sich aufgelöst hat, dann das lauwarme Wasser oder die Milch, die Kondensmilch oder Sahne sowie die Mandelessenz zugeben und gründlich verrühren. In eine leicht eingeölte Puddingform gießen und erstarren lassen. Gründlich kaltstellen.

Das Gelee auf eine Servierplatte stürzen und mit den gewürfelten Früchten umgeben. Den Obstsaft oder Zuckersirup darübergießen und servieren.

Pfirsiche in Honigsirup

*6 große frische Pfirsiche · 1 EL getrocknete Pfefferminzblätter · 2 EL klarer Honig · 1/3 Tasse Zucker
1 TL Rosenwasser (wahlweise)*

Die Pfirsiche in kochendes Wasser geben, nach 6 - 7 Sekunden herausnehmen und die Haut abziehen, halbieren und entsteinen.
Die Pfirsichhälften mit der Schnittfläche nach unten in eine Schale geben und die Pfefferminzblätter darüberstreuen. Über sprudelnd kochendem Wasser dämpfen, bis die Pfirsiche gar sind. Den Honig mit dem Zucker in einer kleinen Kasserolle mit 1/2 Tasse Wasser vermischen und zum Kochen bringen.
Köcheln, bis der Sirup dick und klebrig wird, dann das Rosenwasser (falls verwendet) zugeben.
Die Pfirsiche aus dem Dämpftopf nehmen und die Pfefferminzblätter abkratzen.
Die Pfirsichhälften auf einer Servierplatte anrichten und mit dem Honigsirup begießen. Heiß servieren.

Süße Walnüsse

125 g Walnüsse · 1 Tasse Wasser · 1/4 Tasse
Zucker · 1/4 Tasse klarer Honig · 5 Tassen
(1 1/4 Liter) Fritieröl

Die Walnüsse mit Wasser bedeckt zum Kochen bringen und 1 Minute kochen, dann abtropfen lassen und die braune Haut ablösen.

Mit den restlichen Zutaten bis auf das Öl wieder in den Topf geben und wieder aufkochen. Bei verringerter Hitze 10 Minuten kochen. Abtropfen lassen und abkühlen und trocknen lassen.

Das Fritieröl auf mittlere Hitze bringen. Die Nüsse in einem Fritierkorb etwa 8 Minuten backen, bis sie schön Farbe angenommen haben. Herausnehmen und gut abtropfen lassen. Abkühlen lassen, dann servieren.

Vogelnest-Dessert

30 g getrocknete Vogelnester, 1 Stunde
eingeweicht · 210 g Kandiszucker
3/4 TL Natriumbikarbonat

Die Vogelnester abtropfen lassen und gründlich waschen, irgendwelche Überreste von Federn oder Schmutz entfernen.

Mit kochendem Wasser übergießen und einweichen, bis sie zart sind, dann abtropfen lassen.

Natriumbikarbonat darüberstreuen und wieder mit kochendem Wasser bedecken. 5 Minuten stehenlassen, bis die Nester weich werden und aufquellen, dann abtropfen lassen und mit mehr kochendem Wasser bedecken. Abtropfen lassen und gründlich spülen.

Den Kandiszucker zerkrümeln und mit etwa 5 Tassen (1 1/2 Liter) kaltem Wasser in einem Topf geben. Zum Kochen bringen und sehr langsam simmern lassen, bis der Zucker sich völlig aufgelöst hat. In eine Schüssel durchseihen. Die vorbereiteten Vogelnester zugeben und 10 Minuten über stark kochendem Wasser dämpfen. Heiß servieren oder gründlich kühlen und kalt servieren.

„Schnee" – Pilze mit süßer Suppe

60 g getrocknete Lotossamen, 2 Stunden gewässert
6 getrocknete Longan-Früchte, 1 Stunde gewässert
15 g „Schnee"-Pilze (weiße Holzohren), 1 Stunde gewässert
60 g chinesische Datteln · 3/4 Tasse Zucker · 12 Wachteleier
aus der Dose, abgetropft · 1 3/4 l kaltes Wasser

Die Lotossamen abtropfen lassen und mit reichlich heißem Wasser in einen kleinen Topf geben. Zum Kochen bringen und dann simmern lassen, die Longan-Früchte separat simmern, ebenso die „Schnee"-Pilze, 10 Minuten, dann gut abtropfen lassen.
Die Datteln und den Zucker in einen Topf geben und 7 Tassen (1 3/4 l) kaltes Wasser zugeben. Zum Kochen bringen und 10 Minuten simmern lassen. Dann die Longan-Früchte und die Schneepilze zugeben und weitere 30 Minuten simmern lassen.
Die getrockneten Lotossamen und die Wachteleier zugeben und 3 Minuten behutsam simmern lassen. Heiß servieren. (Die Longan-Früchte ähneln der japanischen Mispel. Als Ersatz kann man auch in Scheiben geschnittene Birnen, Papayas oder Äpfel verwenden.)

Lotossamen in Zuckersirup

250 g getrocknete Lotossamen · 6 Tassen (1 1/2 l) kochendes
Wasser · 2/3 Tasse Zucker (oder nach Geschmack)

Die Lotossamen 20 Minuten in kaltem Wasser wässern, dann abtropfen lassen. Mit kaltem Wasser bedecken und kurz simmern lassen, dann wieder abtropfen lassen. Mit einer Nadel den bitteren Kern entfernen und die Lotossamen dann mit der Hälfte des kochenden Wassers in eine Schüssel geben und auf einer Bambusmatte in einen Dämpfer stellen. Dämpfen, bis sie gar sind, etwa 30 Minuten über heftig kochendem Wasser. Den Zucker in dem restlichen Wasser auflösen und in eine Servierschüssel gießen. Die gegarten Lotossamen und die Flüssigkeit zugießen.
Entweder heiß servieren oder abkühlen lassen, dann in den Kühlschrank stellen, bis das Ganze gut abgekühlt ist, und als erfrischende kalte Nachspeise servieren.

REZEPT-VERZEICHNIS

Bildnachweis

Titelfoto: Integra Communication
Umschlagrückseite: Integra Communication, Vitaquell
Ketchum Public Relations: S. 21, 45, 53, 75
Gabriele Fiedler: S. 37
Integra Communication: S. 25
GCI Ringpress: S. 69, 70
P.R.I. GmbH: S. 33, 49, 57, 61, 83,
modem conclusa: S. 41
Knorr/Maizena: S. 11, 65, 71
Maggi Kochstudio: S. 15, 29, 79, 87